L'œil économique

Alfred SAUVY - **La machine et le chômage**
Le progrès technique et l'emploi
PRÉFACE DE W. LÉONTIEF

Rémy PRUD'HOMME - **Le ménagement de la nature**
Des politiques contre la pollution

André DUMAS - **L'autogestion, un système économique ?**
J.L. DALLEMAGNE / N. DAURES / B. HORVAT / D. JONES / S. KOLM / S. KOULYTCHISKY / P. KNIGHT / H. LEPAGE /
M. MENCONI / Ch. MONTET / P. ROSANVALLON / R. SUPEK / H. TEZENAS DU MONCEL / J. VANEK
PRÉFACE DE J. TINBERGEN

Claude THÉLOT - **Tel père, tel fils ?**
Position sociale et origine familiale
PRÉFACE DE J. FOURASTIÉ

Henri LEPAGE - **Vive le commerce !**
Services, distribution, croissance
PRÉFACE DE R. LATTES

William PETERSEN - **Malthus**
le premier anti-malthusien
PRÉFACE DE E. LE ROY LADURIE

Sidney MINTZ - **Esclave = facteur de production**
L'économie politique de l'esclavage
S. ENGERMAN / J. FAGE / R. FOGEL / G. FREDERICKSON / H. GEMERY / E. GENOVESE / M. GREENBERG /
H. GUTMAN / M. et F. HERSKOVITS / J. HOGENDORN / B. KOPYTOFF / R. PRICE / L. SHORE / I. WALLERSTEIN

Henri SAVALL - **Reconstruire l'entreprise**
Analyse socio-économique des conditions de travail
PRÉFACE DE F. PERROUX

Bernard DORAY - **Le taylorisme, une folie rationnelle ?**
PRÉFACE DE M. GODELIER

Renaud SAINSAULIEU et le CESI - **L'effet formation dans l'entreprise**
PRÉFACE DE G. LAJOINIE

Guy ROUSTANG - **Le travail autrement**
Travail et mode de vie
PRÉFACE DE P. ROSANVALLON

Jean-Paul de GAUDEMAR - **L'ordre et la production**
Naissance et formes de la discipline d'usine
PRÉFACE DE J. ATTALI

le pouvoir syndical

Gérard ADAM

Préface de
Jean-Daniel REYNAUD

Dunod

Gérard Adam
Gérard Adam est professeur au Conservatoire national des arts et métiers et à l'Institut d'études politiques de Paris. Parallèlement à son activité d'enseignant et de chercheur, il intervient comme consultant et expert auprès de la Cour d'Appel de Paris.

Auteur d'une thèse sur l'histoire de la CFTC, il a publié de nombreux articles et ouvrages sur le syndicalisme, la négociation collective et les conflits du travail, notamment *Conflits du travail et changement social* (en collaboration avec Jean-Daniel Reynaud aux PUF) et *Histoire des grèves,* chez Bordas.

Le document de couverture est une illustration réalisée spécialement pour ce livre par Devis Grébu.

© BORDAS, Paris, 1983
ISBN 2-04-010828-9
ISSN 0246-6694

Préface

Sur les confédérations syndicales, sur leur fonctionnement et leurs appareils, sur leurs adhérents et sur ceux qui votent pour elles, sur leurs rapports avec les partis politiques, une abondante information s'est accumulée. Information complexe, parfois confuse, riche sur certains points, mais laissant de graves lacunes. C'est le premier mérite de ce livre que de faire le point sur ces questions : avec précision, mais avec concision aussi, résumant l'essentiel de ce qui a été acquis par les enquêtes, les sondages, les analyses documentaires. Est-ce à la CGT, à la CFDT ou à FO que la stabilité des dirigeants est la plus grande ? Comment peut-on rendre compte des tendances, aisées à constater, que présentent les résultats des élections aux comités d'entreprise sur quatorze ans ? Pour quels partis politiques votent les adhérents de la CFDT ? A ces questions, à cent autres, on trouvera, dans les pages qui suivent, une réponse précise et documentée.

Ce n'est pas là un mince apport. La maîtrise, l'aisance avec laquelle sont présentées et maniées les données sont le résultat d'années de travail (de documentation et d'analyse). Quelques chiffres résument souvent — ou tranchent — un long débat. Quelques faits suffisent pour tirer des conclusions significatives sans qu'il soit nécessaire de s'encombrer d'un appareil statistique complexe.

Mais, si grands que soient ces mérites, ils ne font pas, à notre jugement, le principal intérêt de ce livre. Ce que l'on en retiendra, ce qui suscitera la discussion la plus passionnée, ce sont plutôt les thèses qu'il défend. Résumons-les, au risque de simplifier, et de choquer : à ses propres yeux comme aux yeux de la plupart de ceux qui l'étudient, le syndicalisme français est d'abord un mouvement, riche de convictions et de dévouement militant, pauvre de ressources financières et de pouvoirs. Ce que nous montre ce livre, c'est qu'il est au contraire une institution, fortement installée dans notre société, un pouvoir majeur dans l'équilibre des pouvoirs politiques, une partie intégrante de cet équilibre institutionnel.

Cette idée centrale inspire toute l'étude. Ainsi de la présentation et de l'analyse des structures des syndicats, analyse qui porte sur les fédérations et particulièrement les confédérations : ce qu'elles illustrent, c'est la complexité d'une organisation où se mêlent les principes fédéralistes et l'autorité du suffrage universel, la légitimité que confère l'approbation de la base et la reconnaissance par les pairs, militants, voire permanents. C'est aussi, chez ces militants qui parfois bousculent le droit « bourgeois », le respect scrupuleux de leurs propres règles et des procédures constitutionnelles par lesquelles il est permis de les modifier.

La démocratie syndicale n'est pas la démocratie politique. La première repose sur d'autres formes d'organisation, ne serait-ce que parce qu'elle n'est pas d'abord l'expression d'un intérêt individuel mais la constitution d'un intérêt collectif. La création, le maintien, le développement d'une organisation commune, peu capable de contraindre et ne produisant guère — au moins dans la majorité des cas — d'avantages réservés à ses membres est en soi-même un paradoxe. Tout militant est conscient de ce paradoxe ou de ce miracle ; de là, le respect extrême de l'institution et de ses règles, la répugnance à la modifier ou à la réformer, la préservation de son appareil. Le militant syndical peut être un bousculeur d'idées reçues ; son premier instinct est de préserver l'organisation.

Pour prendre un autre exemple, c'est la même inspiration qui guide l'analyse des élections. Gérard Adam part d'une remarque simple et frappante : sur la quinzaine d'années où nous pouvons les suivre, il n'y a pas de parallélisme entre le mouvement des adhésions et celui des votes (par exemple : l'absention, ou le vote pour les non-syndiqués ne croissent pas avec la « désyndicalisation »). Plus généralement, les taux d'adhésion sont, au total, modestes ; la proportion de ceux qui votent pour les listes « confédérées » est très élevée. On peut donc avancer qu'aujourd'hui le vote sert de substitut à l'adhésion : ce sont ses résultats aux élections professionnelles (comités d'entreprise, prud'hommes) qui non seulement mesurent l'audience d'un syndicat, mais sanctionnent son action et lui accordent — ou ne lui accordent pas — une légitimité. Ce sont eux aussi qui, du même coup, donnent aux syndicats leurs ressources principales : du temps de délégation payé à ses représentants. Si l'on retient le chiffre avancé par Gérard Adam (un militant disposant d'heures payées — même si ce sont quelques heures par mois — pour quinze ou vingt salariés dans le secteur privé — et, ajouterions-nous, sensiblement davantage dans le secteur public), on mesurera mieux l'importance pratique aussi bien que l'importance morale des institutions électives.

Les syndicats français ont donc d'abord une assise institutionnelle. Leur pouvoir tient à la légitimité que leur confère l'élection (beaucoup plus que l'adhésion), aux ressources que leur procurent les institutions, au corps de militants formés et disciplinés que ces ressources leur permettent de constituer, à leur accès aux comités qui sont établis un peu partout pour consultation dans l'administration et le gouvernement, à leur communauté de famille avec les partis politiques de gauche. C'est cette assise institutionnelle qui leur donne leur pouvoir : pouvoir politique par excellence, dans son origine comme dans ses objets.

On remarquera qu'il y a là une réponse originale au paradoxe de Mancur-Olson (le calcul utilitaire ne conduit pas l'individu à participer à l'action collective). A ce paradoxe, les syndicats nord-américains répondent par la contrainte (l'obligation d'adhérer inscrite dans le contrat) ; les syndicats britanniques par la solidarité de métier ou la pression directe, d'autres, par l'attrait d'avantages individuels. Le syndicalisme français tire de la loi des institutions obligatoires, sans exercer lui-même de contrainte sur l'adhésion. Dans un pays fortement centralisé, où l'État et ses appareils tiennent une place éminente et, au total, peu contestée, cette solution qui ménage la liberté individuelle et la contrainte de droit public est cohérente avec son contexte.

L'intérêt de cette thèse n'est pas seulement de déranger les idées reçues. Il est aussi de poser en de nouveaux termes bien des problèmes traditionnels.

De les poser, non de les évacuer. Ainsi, si l'élection devient un substitut de l'adhésion, elle laisse non résolus deux problèmes : celui du financement direct des syndicats (les électeurs ne paient pas de cotisation) ; celui, plus important encore à terme, de la démocratie interne.

En effet, les règles des syndicats sont faites pour assurer la démocratie à l'égard des adhérents : ceux-ci votent les motions, élisent les responsables. Mais si le nombre d'adhérents diminue ou stagne, et que l'essentiel devient le vote du grand nombre, ce grand nombre ne dispose que d'une approbation ou d'un rejet global ; en fait, du choix d'une confédération et du rejet d'une autre. La discussion interne risque de perdre de l'importance au profit du débat public, voire du débat télévisé. La démocratie de masse se substitue à la démocratie professionnelle. Le syndicat, pour le meilleur et pour le pire, fonctionne comme un parti politique.

Le problème est donc moins de savoir si les syndicats sont suffisamment démocratiques que de décider quel genre de démocratie peut s'y exercer.

De même, il faut cesser de poser les problèmes d'organisation des fédérations ou des syndicats en termes — un peu désuets — d'opposition entre l'intérêt corporatif et la solidarité de classe (ou entre intérêts égoïstes et intérêt général). La communauté qui se constitue à partir d'intérêts locaux n'est pas un obstacle, c'est un relais nécessaire à des solidarités plus étendues. Mais il reste bien un problème : force politique globale, les syndicats entendent parler au nom de tous les salariés (c'est-à-dire d'une grosse majorité de la population active) ; et ils parlent en leur nom pour des intérêts bien plus larges que les intérêts directement professionnels (l'emploi, la politique industrielle, la sécurité sociale). Or, leur organisation les attache souvent à des structures traditionnelles ou à des découpages entre qualifications et catégories qui ont peu de sens au niveau des grands problèmes à traiter. Elle les attache à un langage qui date d'une autre époque et convient à d'autres objectifs. Les communautés de base sur lesquelles ils se fondent sont-elles les bonnes pour servir de relais à leur action dans des champs nouveaux ?

Il y a donc aujourd'hui un double décalage à l'intérieur du syndicalisme : décalage entre les militants (à la limite, c'est à leur cercle que la « désyndicalisation » réduirait les adhérents), porteurs d'une doctrine et d'une ambition collective et la masse des salariés ; décalage entre l'appareil, c'est-à-dire le petit nombre de permanents bien formés dont la compétence est une ressource indispensable et qui exercent le pouvoir syndical, et une base qui se borne à sanctionner globalement leur action par des votes.

Les nouveaux textes législatifs — ce que l'on appelle populairement les lois Auroux — répondent-ils à ces difficultés ? D'après tout ce qui précède, on peut en douter. Car, si la thèse défendue est vraie, les lois Auroux ont peut-être plus d'importance par les dispositions, en apparence secondaires, qu'elles prennent en faveur du délégué syndical ou de la reconnaissance des organisations confédérées, notamment de cadres, que par les grandes innovations du droit d'expression ou de l'obligation de négocier dans l'entreprise. Les secondes ouvrent des voies qu'à moyen ou à long terme la négociation empruntera peut-être. Les premières assurent et renforcent l'assise institutionnelle des syndicats.

Enfin, dans le même esprit, on s'interrogera dans d'autres termes sur les rapports entre partis et syndicats. Moins sur la rivalité du parti communiste et du parti socialiste, si importante qu'elle soit dans l'immédiat, et sur les tensions en conséquence entre CGT et CFDT (et la montée, peut-être en conséquence aussi, de FO) que sur le destin de cette «famille» de gauche : une vue d'ensemble des tendances, sur vingt ans, des déchirements et des conflits, des redistributions internes, des pertes et des gains d'influence donnent une idée plus juste de sa réalité sociale et politique, des forces et des faiblesses de la communauté qu'elle constitue. L'expérience commencée avec les élections de 1981 n'a pas eu d'effets immédiats (au moins d'effets spectaculaires) sur la vie des syndicats. A moyen terme, elle les engage pourtant très profondément.

Ce n'est donc pas sans intention que le livre se termine sur une analyse serrée de l'audience électorale des partis de gauche, de ses fluctuations et de la contribution qu'ont apporté les confédérations syndicales à ces résultats. Si le pouvoir syndical se fonde sur la place et l'implantation des syndicats dans le système politique, ce qui mérite considération, ce sont les voies d'accès à ce système. Les démarches et les conclusions de la science politique viennent logiquement aider à achever cette analyse essentiellement politique.

Il faut le reconnaître : elle est lucide et réaliste.

N'amène-t-elle pas toutefois à poser à nouveau — dans des termes renouvelés, ce qui prouve sa force — ce qui nous paraît être le problème central du syndicalisme ?

Il y a bien, en effet, même si l'on ne veut considérer que l'acteur politique national qu'est le syndicat, une spécificité de cet acteur. Nous l'avons dit tout à l'heure pour expliquer le respect de l'organisation et de ses règles : c'est qu'il crée la possibilité d'une action collective. Pour y parvenir, il utilise des moyens divers, allant de la contrainte juridique à la contrainte physique, à l'appui institutionnel et aux services individuels. Mais aussi, et surtout, en créant, en reconnaissant, en animant une communauté : communauté d'idées, de goûts, de convictions, de culture ; communauté reposant sur des normes, des règles, une morale ; communauté restreinte, concrète comme un métier ou du moins une profession ; communauté enfin de projet, conquête ou défense, dont la culture efficace est moins fondée sur les similitudes individuelles et le respect des traditions que sur un capital, souvent chèrement acquis, de schémas de coopération interne et d'action face aux partenaires et aux adversaires.

Cette communauté, et la légitimité vivante qu'elle détient, ne sont pas identiques à celles d'un parti : celui-ci a moins d'enracinements concrets, il est plus centralisé, plus orienté vers la conquête du pouvoir d'État. Elles ne sont pas non plus identiques à celles de la collectivité locale, où s'exerce, même si c'est sous des formes discrètes, une contrainte de droit public. Elles ne sortent pas tout naturellement de l'installation institutionnelle du syndicat (de la reconnaissance de la section syndicale ou de l'élection des délégués). Bien qu'elle soit liée à un pouvoir (la communauté est capacité d'action), elle ne découle pas simplement du pouvoir défini institutionnellement.

Une analyse détaillée nous conduirait même à distinguer plusieurs niveaux de la communauté syndicale : outre le niveau de base, ceux des divers regroupements qui permettent une action étendue, voire nationale, de branche ou interprofessionnelle.

Mais, sans entrer dans ce détail, ce que nous avons dit suffit peut-être pour définir la spécificité du syndicalisme : ce qu'il apporte à la vie publique, c'est une action fondée sur des communautés volontaires, donc plus décentralisée, plus respectueuse des spécificités de chaque groupe. Sa contribution à la vie démocratique, c'est d'obliger les décisions des pouvoirs publics et le droit lui-même à accepter et à accueillir les particularismes : dans ce qu'ils ont de conservateur, de traditionnel (comment un groupe ne se défendrait-il pas contre les « progrès » techniques et les rationalisations économiques qui lui viennent de l'extérieur ?), mais aussi dans ce qu'ils ont de créateur, d'innovateur — et peut-être, tout simplement, de fondateur de vie sociale.

Si cette capacité de créer une communauté capable d'action s'affaiblit, si elle s'affaiblit à la base, le pouvoir des syndicats ne disparaît pas pour autant. Mais sa contribution spécifique à la vie politique s'affaiblit aussi ou plutôt se banalise, s'assimile à celle des partis. Même au niveau national, l'acteur politique qu'est le syndicalisme perd ce qui rend son apport irremplaçable.

Souligner à quel point aujourd'hui les syndicats français vivent sur leur assise institutionnelle, ce n'est donc pas seulement constater un fait de structure, propre à la situation française, et conforme à certains traits fondamentaux de notre système politique. C'est aussi souligner une crise : crise, à la base, non seulement du recrutement, mais de la communauté qui le motive ; crise, plus haut, des critères de solidarité étendue. En bas, le métier n'offre une possibilité de regroupement solide que pour quelques groupes ; la profession (dans son sens traditionnel de branche d'industrie) est souvent trop large; le groupe d'atelier, le groupe homogène de production, trop fragile et avec des contours trop incertains. En haut, l'hétérogénéité des situations, des intérêts et des cultures rend peu efficace les grands mécanismes traditionnels de solidarité: solidarité de classe, solidarité des travailleurs, voire des salariés.

Réciproquement, un syndicat peu à peu réduit à ses ancrages dans les institutions n'est-il pas extrêmement vulnérable, et notamment terriblement dépendant de la bonne volonté et de la philosophie sociale des gouvernements?

Le tableau que nous esquissons est assurément trop sombre — et ses couleurs sont dues en partie à la conjoncture économique et sociale. Il y a, même dans les circonstances actuelles, plus d'un exemple d'apparition de communautés vivantes et efficaces, et de nouvelles possibilités de solidarité étendue. Les unes et les autres mériteraient étude, puisqu'ils sont l'avenir même du mouvement syndical.

Mais c'est bien, pour nous, le problème central qui reste posé: même comme acteur politique, le syndicat fait intervenir sur la scène nationale un mouvement né de communautés de base. Son rôle n'est sans doute pas celui que lui assignaient les idéologies traditionnelles: fourrier de la révolution, ou courroie de transmission du parti. Il est partie intégrante du système politique plutôt que force extérieure cherchant à le bouleverser. Mais, à l'intérieur de ce système, dans son équilibre comme dans ses transformations, il a bien un rôle à part. Reste à savoir s'il pourra le garder.

L'analyse que l'on va lire, grâce aux distances qu'elle prend à l'égard des idées traditionnelles, nous conduit à cette réflexion et à cette interrogation sur l'avenir. Le débat qu'elle devrait susciter concerne donc quelques-uns des fondements de notre société.

Jean-Daniel Reynaud

Table des matières

Chapitre 5

Chapitre 6

Avant-propos

Tous les syndicats affirment une volonté de transformation de la société, mais, dans un pays qui a connu plus de bouleversements économiques, technologiques et sociaux en moins d'un quart de siècle que depuis les débuts de l'industrialisation, ils sont souvent perçus comme hostiles aux changements, attachés à la défense des droits acquis. Et, depuis l'arrivée de la gauche au pouvoir, cette stratégie persistante de refus ne peut plus être mise au compte d'une opposition politique.

Longtemps illégal, exclus de la démocratie bourgeoise, imprégné d'anarcho syndicalisme et de méfiance à l'égard de l'État, le mouvement ouvrier s'est institutionnalisé et, même s'il se défend de toute idéologie de participation, est présent à tous les niveaux de la vie publique. La cogestion est récusée mais les retraites complémentaires, les fonds d'assurance formation, l'assurance chômage sont administrés sous la responsabilité conjointe des syndicats et du patronat.

Au nom de son idéal, la contre-société syndicale a toujours voulu incarner en son sein les prémisses d'une société différente composée d'hommes «fiers et libres», suivant le vœu de la CGT au début du siècle. Mais alors qu'à l'origine la démocratie syndicale s'exerçait spontanément à travers l'action — le plus souvent la grève —, progressivement ses règles se sont formalisées en rituels pour initiés. Sans doute toute organisation a tendance à se replier sur elle-même, surtout lorsqu'elle repose, comme en France, sur un cercle étroit de militants. A juste titre Daniel Mothé souligne que le militant est «celui qui est identifiable justement parce qu'il se distingue des autres... en s'engageant il a engagé un processus de différenciation auquel il peut difficilement renoncer au sein même de son organisation [1]». Mais précisément les syndicats affirment leur vocation à représenter non seulement leurs adhérents mais aussi tous les salariés. Les socialistes utopistes comme les marxistes ont ancré chez les syndicalistes la conviction d'une mission historique et, concrètement, d'un légitime monopole de représentation de la totalité des travailleurs, organisés ou non. Élargissant progressivement leur champ de recrutement à toutes les catégories socioprofessionnelles, les syndicats se trouvent donc aujourd'hui dans la difficile situation de parler démocratiquement au nom de 80 % de la population active mais de ne regrouper qu'une minorité qui, par fidélité historique, veut conserver les traits des ouvriers professionnels d'antan.

Les quatre organisations les plus importantes (CGT, CFDT, FEN, FO) ne cachent pas leur engagement à gauche même si la politisation — au sens limité de l'existence de liens entre partis et syndicats — n'est le fait que de l'une d'entre elles. Pourtant il n'est pas sûr que le changement de majorité politique ait sur les syndicats des effets positifs et durables aussi importants qu'on pourrait le croire. Paradoxalement les vingt trois premières années de la Ve République n'ont pas peu fait pour donner aux syndicats une place qu'ils n'occupaient pas auparavant. Non seulement ils ont profité de la crise provisoire qui frappait les partis politiques au moment de l'instauration du gaullisme mais, dans la logique dualiste des institutions, ils ont bénéficié en permanence d'un véritable statut d'opposition. En effet le clivage majorité/opposition minoritaire ne laisse à cette dernière qu'une place mineure sur le plan politique. Dès lors que ni la présidence, ni le gouvernement, ni la majorité au parlement n'appartiennent à des familles politiques différentes, la minorité est réduite à un rôle de figuration : en dehors des périodes électorales, l'opposition est obligatoirement extrapolitique, c'est-à-dire d'ordre économique et social. Et, au moins jusqu'à la crise économique de 1974, le syndicalisme a prospéré à travers toutes les vicissitudes de la Ve République. Aujourd'hui, l'élargissement du droit syndical ne compense peut-être pas les effets de la concurrence des partis politiques de gauche qui entendent, eux aussi, parler au nom de la classe ouvrière.

Pour qu'ils veulent «changer la vie» les syndicats ne sont-ils pas comme Sisyphe dans la situation d'un «supplice indicible où tout l'être

---

1. Daniel Mothé, *le Métier de militant,* Paris, le Seuil, collection «Politique», 1973, p. 45.

s'emploie à ne rien achever [1]»? Tel le héros «prolétaire des dieux, impuissant et révolté (qui) connaît l'étendue de sa misérable condition», le syndicaliste n'est-il pas condamné à éternellement voir «la pierre dévaler en quelques instants vers ce monde inférieur d'où il faudra le remonter vers les sommets.» Ce combat éternel n'est cependant pas exclusif d'un pouvoir de plus en plus prégnant des syndicats sur la société. Sans doute ceux-ci n'ont ni conquis le pouvoir d'État ni remplacé le gouvernement par l'atelier. Mais est-il besoin de cela pour encadrer, contrôler et finalement exercer une influence déterminante? Dans une société moderne où les références de tous les groupes sociaux sont liés précisément à son caractère industriel n'est-il pas normal que le syndicalisme devienne une force dominante?

C'est à l'analyse de ce *pouvoir syndical* que le présent ouvrage est consacré. Notre ambition n'est pas d'en présenter toutes les facettes contrastées mais plus modestement d'apporter quelques éléments d'information et de réflexion sur les organisations et leurs clientèles, d'éclairer la situation paradoxale du syndicalisme français qui, simultanément, fait la preuve quotidienne de sa puissance et multiplie les apparences extérieures d'une crise profonde symbolisée par la chute des effectifs et une désunion permanente. Peut-être, dans les prochaines années, est-ce un gouvernement de gauche qui sera le révélateur de toutes les contradictions dont l'histoire a pétri le syndicalisme français.

---

1. Albert Camus, *le Mythe de Sisyphe,* Paris, Gallimard, 1943, p. 165-166.

1. La démocratie close des organisations syndicales

I - Les structures: une dimension majeure de l'action syndicale

L'action syndicale est trop souvent décrite à partir de son idéologie. L'insistance mise à évoquer la spécificité syndicale française à partir de sa tradition «révolutionnaire» — et accessoirement de sa politisation — occulte le fait que la pratique syndicale est fondée sur «une rationalité centrée sur l'acteur lui-même plutôt que sur des projets ou des enjeux collectifs. Le point de départ de la conscience et de l'action collective se trouve dans une dynamique de l'être, non dans une dynamique de l'idée [1]». Certes une interaction permanente s'établit entre l'organisation créée par la volonté collective des travailleurs et l'élaboration d'une stratégie et d'une doctrine, mais elle est loin d'être mécanique et directe. Contrairement à ce qu'un marxisme sommaire laisse parfois entendre rien n'est plus faux que d'opposer une conscience de classe spontanée, naissant au contact de la vie de travail et de ses luttes mais qui serait incapable de dépasser la solidarité immédiate des petits groupes, à une conscience supérieure, cohérente avec une visée d'avenir et qui reposerait sur une organisation de masse et de classe étroitement liée à un parti politique. La critique de Marx à l'égard de la conscience réformiste des *trade-unions* n'a qu'une portée circonstancielle à une époque — le

---

1. Denis Segrestin, «les Communautés pertinentes de l'action collective», Canevas pour la recherche, note ronéotée, CNAM, 1978.

1

milieu du XIXe siècle — où la Grande-Bretagne était le seul exemple de société en voie d'industrialisation.

L'histoire même de la CGT, héritière de la tradition des métiers, témoigne bien de la complexité des rapports entre lutte politico-révolutionnaire et action professionnelle. Si, depuis près d'un siècle, coexistent dans la même organisation les éléments les plus patents du conservatisme professionnel et de la lutte des classes, c'est bien parce que les uns et les autres sont dans un rapport dialectique et non en opposition statique. Cette ambivalence n'est pas seulement une commodité tactique destinée à favoriser un double discours de défense des droits acquis et d'appel aux changements profonds. Elle résulte des circonstances mêmes de la naissance du syndicalisme en France.

Le syndicat n'y est reconnu qu'en 1884, soixante ans plus tard qu'en Grande-Bretagne. L'action directe et notamment la grève sont alors la forme première de l'organisation, forme nécessairement éphémère et toujours à réinventer. Ce n'est que tardivement que la grève devient le prolongement de l'organisation et non plus son point de départ. De surcroît l'importance doctrinale accordée à la « grève générale » incite les syndicalistes à concevoir un mode d'organisation plus large que le regroupement sur la base des métiers.

L'industrialisation est plus lente et moins massive qu'en Grande-Bretagne. Non seulement la classe ouvrière représente un groupe très minoritaire mais les catégories socioprofessionnelles sont moins homogènes sauf dans quelques corporations très typées comme les mineurs ou les typographes. Sans adopter le principe des syndicats « généraux » anglo-saxons, inévitable contrepartie d'un strict syndicalisme de métiers pour les ouvriers non qualifiés ou les travailleurs trop dispersés pour s'unir utilement sur les lieux de travail, le syndicalisme français a toujours eu une vision large des notions de métier et de profession.

Au début du XIXe siècle, l'alliance instable entre la classe ouvrière naissante et la bourgeoisie contre une monarchie toujours prête à faire revivre les privilèges de l'ancien régime est à l'origine d'un style d'action mêlant constamment le combat politique et les luttes pour l'émancipation sociale. La révolution de 1848 est sans doute le symbole le plus illustre de ce mélange des genres et de ce malentendu fondamental entre des groupes sociaux rassemblés dans une union sans lendemain pour proclamer une république que les uns rêvent sociale mais qui ne peut être que bourgeoise et conservatrice.

En Grande-Bretagne, au contraire, la reconnaissance précoce du fait syndical en 1824 et l'intensité de l'industrialisation conduisent à un développement syndical fondé sur les communautés « naturelles » de travail, c'est-à-dire sur des petits clubs d'ouvriers ou d'artisans exerçant le même métier, avec ce que cela induit d'identité de situations sociales et de convergences d'intérêts collectifs. Ce « vieil » unionisme qui prévaut jusque vers 1880 donne au syndicalisme britannique son visage définitif à une époque où le mouvement ouvrier français, décimé à la suite de la Commune, est encore dépourvu de toute structure permanente et de toute base légale.

L'encadrement des salariés par le syndicat

Les structures syndicales ne sont ni un prolongement négligeable de l'idéologie [1], ni un simple support technique pour l'action. Elles constituent une dimension majeure du projet syndical. Plus que les motions et les débats de doctrine, elles permettent d'appréhender et la nature réelle du syndicalisme et sa conception de la société industrielle. Les syndicats sont avant tout des organisations au sens weberien du mot et doivent être examinés comme telles. Dans chaque confédération, les débats internes sur les structures ne sont pas en effet de simples querelles de bornage entre catégories socioprofessionnelles ou entre fédérations professionnelles et unions interprofessionnelles. La sensibilité des organisations syndicales à tout ce qui touche à leur fonctionnement interne tient à ce que les choix organisationnels apparemment techniques sont significatifs de leur conception de la démocratie ouvrière, surtout en France où le syndicat est un lieu d'expression avant d'être une instance de négociation [2].

En fait, une structure (syndicat, fédération, union départementale...) n'est pas seulement la concrétisation du sentiment d'unité d'un groupe mais la manifestation par laquelle l'organisation s'efforce de contrôler la collectivité des travailleurs. Même parfaitement démocratique, le syndicat, comme toute organisation, est ambivalent : il encadre les salariés tout autant qu'il les représente. Tout son problème est de déterminer à quelles conditions, en échange de quels avantages, il peut légitimer

---

1. Pour être bref et par convention, entendons par idéologie l'ensemble des idées et représentations sociales qui sont partagées par un groupe.
2. Entre les syndicats français et américains, une des différences majeures tient à ce que ces derniers sont exclusivement des machines à négocier. Leur objectif n'est nullement de rassembler des salariés partageant les mêmes convictions politiques et désireux de concrétiser des idéaux démocratiques dans leur mode d'organisation.

les contraintes qu'il exerce non seulement sur ses propres membres mais sur l'ensemble des travailleurs. En Grande-Bretagne et en Suède n'a-t-on pas récemment essayé, par exemple, d'enrayer le développement des grèves sauvages en renforçant le pouvoir des syndicats?

De façon très générale Sabine Erbes Seguin, prolongeant les travaux de Robert Hoxie a bien montré la liaison spécifique entre les objectifs et la structure d'un syndicat [1]. Un syndicalisme défensif appelle plutôt la recherche de l'efficacité avant tout tandis qu'un «projet instrumental révolutionnaire» implique une tendance à la démocratie, coexistant avec un appel à des valeurs extérieures à l'action. Cette démarche rejoint celle d'Alain Touraine sur «la double dialectique des organisations» qui montre que le type d'organisation (Alain Touraine en distingue quatre : organisation coercitive, instrumentale, intégratrice, représentative) dépend du «projet» et du «type d'initiative» de ses membres [2].

Au moment de la naissance de la CGT, le nécessaire équilibrage entre les structures géographiques et professionnelles (les premières, les bourses du travail, plus révolutionnaires et plus indépendantes des partis, les secondes plus «corporatistes» et plus réformistes) et, corollairement, entre le pouvoir confédéral et celui des organisations confédérées, a longtemps fourni une explication simple et pertinente des spécificités organisationnelles des syndicats français [3]. Non sans quelques variantes toutes les confédérations, en adoptant les grands principes de ce schéma dualiste, ne lui ont-elle pas conféré une portée universelle?

Aujourd'hui, la situation est autrement plus complexe. Les organisations syndicales ont bien davantage conscience que leur développement (en termes de militants, d'adhérents mais aussi de capacité d'influence) dépend autant de leurs choix organisationnels que de la popularité de leurs revendications: celles-ci ne sont crédibles qu'à travers un système représentatif auquel le salarié puisse s'identifier. Or rarement les risques ont été aussi grands d'un divorce entre les contraintes d'une action efficace et les exigences d'une meilleure «représentativité» des groupes socioprofessionnels.

---

1. Robert Hoxie, *Trade Unions in the United States,* N.Y., Appleton, 1920. Pour Sabine Erbes Seguin voir, par exemple, son article «Des buts de l'action aux structures syndicales», *Sociologie du travail,* 1968, I. L'auteur dresse une typologie des «projets» syndicaux des militants (projet «défensif», «éclaté», «technico-révolutionnaire», «instrumental révolutionnaire») et en marque l'influence sur les structures et les moyens d'action syndicaux.
2. Alain Touraine, *Sociologie de l'action,* Paris, le Seuil, 1966, p. 186 à 200.
3. A la CGT les unions départementales, héritières des bourses du travail, sont loin d'avoir conservé cet héritage anarcho-syndicaliste. Entre les deux guerres déjà Léon Jouhaux souhaitait que le responsable de l'union soit un «préfet de la CGT». Pour la CGT actuelle René Mouriaux note: «l'activité de la confédération s'exerce sans difficulté majeure sur les unions départementales», *in la CGT,* Paris, le Seuil, collection «Politique», 1982, p. 31.

L'éclatement du marché du travail [1], l'émergence de groupes d'un type nouveau (les jeunes, les femmes, les immigrés...) à l'intérieur même des catégories socioprofessionnelles, la diversification des statuts et des qualifications, le rôle accru des inorganisés dans les conflits, ou simplement l'attrait pour les petits groupes — *small is beautiful!* — incitent en effet à l'éclatement des structures professionnelles traditionnelles et à la remise en cause des règles classiques de la démocratie syndicale. Assurément le regroupement des salariés sur la base de leur profession et de leur qualification conserve tout son intérêt mais sa portée se relativise : un chômeur perd son sentiment d'appartenance à un milieu professionnel ; il n'est donc pas surprenant que les confédérations syndicales aient toutes échoué dans leurs efforts de regroupement des travailleurs privés d'emploi.

De surcroît l'extension de l'activité syndicale à tous les domaines de la vie sociale (les loisirs, la consommation, l'écologie...) fragilise encore plus les bases anciennes d'organisation fondées exclusivement sur le découpage des métiers et des branches d'activité. Enfin la concentration économique, le redéploiement industriel et les nouvelles formes de la division internationale du travail, la crise économique, bref tout ce qui renforce l'interdépendance entre les décisions des entrepreneurs privés conduit les états-majors syndicaux à proposer de vastes regroupements autour de quelques grandes fonctions économiques (l'énergie, les transports, les communications sociales...) pour assurer une plus grande cohérence à l'action. Ces nouvelles structures aux contours souples accueillent sans inconvénient des groupes aux statuts diversifiés mais elles ne permettent guère à un salarié d'y trouver son identité.

Les affinités spontanées et les contraintes de l'action

«Les communautés concrètes», selon l'expression de Denis Segrestin, ne définissent par elles-mêmes aucun champ d'intérêt spécifique à défendre car leur finalité initiale n'est pas nécessairement la conduite d'une action. Leurs frontières ne sont d'ailleurs pas constantes et prédéterminées par des caractéristiques objectives. Sauf dans les rares cas où un seul groupe culturellement homogène dispose d'un pouvoir sans partage (dans la presse, chez les dockers ou les pilotes de ligne) qui dispense d'un système d'alliance, la condition paradoxale du succès de la lutte

---

1. Nous ne développerons pas ici la présentation du double marché du travail qui oppose les salariés disposant d'une solide protection sociale et d'une grande sécurité d'emploi à ceux qui, à travers des statuts précaires (contrats à durée déterminée, intérimaires, vacataires...), constituent un volant d'une main-d'œuvre très mobile et dépourvue de garanties.

sociale ne réside-t-elle pas dans la convergence entre les intérêts catégoriels et immédiats de ceux qui lancent l'action et l'espérance porteuse
d'avenir qu'elle suscite ensuite chez un plus grand nombre? Le développement du syndicalisme de métier ne s'explique-t-il pas, historiquement,
par l'aspiration universelle à une certaine forme de statut social même
chez ceux qui n'avaient aucune chance d'y accéder? Son déclin n'est-il
pas lié à l'affaiblissement de cette aspiration au profit d'autres valeurs
de référence?

Les structures syndicales sont un compromis permanent entre les contraintes imposées par les règles des relations professionnelles (mécanismes de négociation, institutions de représentation...) et la prise en
compte de regroupements inspirés par des préoccupations de plus en
plus diversifiées (sentiment d'une convergence d'intérêts, d'une identité
de problèmes, d'appartenance à une même génération, un même sexe,
un même groupe ethnique...) qui ne relèvent plus directement, comme
par le passé, de l'exercice d'un métier et même de la vie de travail.

Les confédérations syndicales n'ont guère fait évoluer leurs structures
depuis leur fondation. Tout en élargissant simultanément leur base de
recrutement et l'éventail de leurs revendications, les syndicats sont
demeurés fidèles, pour l'essentiel, à un mode d'organisation qui date
des origines du syndicalisme: la branche d'activité qui se réduit parfois
aux caractéristiques originelles du métier dominant de la branche: *le*
verrier pour le secteur du verre, *le* docker pour toute l'activité portuaire,
le typographe pour le livre et l'imprimerie. Seule la CFDT a mené une
politique volontariste couronnée de succès inégaux. Les militants et dirigeants sont réticents à admettre que les mutations de la société industrielle doivent s'accompagner d'une transformation des structures et
modes de fonctionnement interne de leurs organisations. Cette inertie
est peut-être une des clefs de la crise que semble connaître le syndicalisme français.

II - «La base»: 30 000 syndicats et 32 800 sections

La souplesse de la législation française

La législation française n'impose pratiquement aucune règle pour la
fondation d'un syndicat. Nécessité d'être salarié pour les syndicats de
salariés et de relever dans sa profession du champ de recrutement du
syndicat, telles sont, avec les dispositions de droit commun sur la capa-

cité juridique des personnes, les seules évidentes contraintes juridiques [1]. Pratiquement le syndicat peut aussi bien avoir une assise géographique nationale ou se limiter à l'entreprise avec toutes les possibilités intermédiaires. Il peut rassembler soit les salariés d'un même métier, soit ceux d'une même profession, soit même ceux de professions connexes. Contrairement à la pratique anglo-saxonne, les syndicats généraux groupant pêle-mêle tous ceux qui n'ont pas leur place dans un syndicat de métier n'existent pas en France.

Dans la pratique, les syndicats nationaux concernent les salariés à statut, notamment dans la fonction publique, mais aussi les professions caractérisées par la dispersion des lieux de travail : marins, chauffeurs routiers... Tout en réclamant leur reconnaissance dans l'entreprise, les confédérations n'ont jamais vraiment encouragé la création de syndicats d'entreprise, sauf dans les très grandes sociétés (Renault par exemple). Historiquement ce n'est qu'à partir des années trente que la CGTU a préconisé le développement syndical dans l'entreprise. Naguère Serge Mallet a opposé, non sans schématisme, les ouvriers traditionnels à une nouvelle classe ouvrière autogestionnaire définie uniquement à partir des caractéristiques des entreprises : «... le critère déterminant d'insertion dans tel ou tel groupe de la classe ouvrière est moins le statut personnel de chaque salarié dans l'entreprise — qualifié ou non qualifié, cadre ou manuel, jeune ou moins jeune, horaire ou mensuel — que la position globale de l'entreprise... dans laquelle il travaille... [2]»

Reste qu'après un engouement d'autant plus vif que le patronat était hostile aux sections syndicales les dirigeants syndicaux se sont satisfaits de l'existence de structures dépourvues de personnalité juridique et fortement rattachées au syndicat qui demeure, dans la plupart des cas, extérieur à l'entreprise. Leur préférence va vers les syndicats de branche regroupant toutes les catégories (ouvriers, employés, cadres) au niveau d'une agglomération ou d'un bassin d'emploi : par exemple, «syndicat de la chimie de la région parisienne». Mais les exceptions sont nombreuses à cette orientation, surtout à la CGT et à FO au profit de syndicats plus catégoriels ou, au contraire, de rassemblements très hétérogènes dans le cas des secteurs aux activités très diversifiées regroupant une main-d'œuvre disparate. Entre la formule la plus restrictive (une catégorie dans une entreprise) et la plus extensive (l'ensemble des salariés d'un

---

1. «Les syndicats ou associations professionnelles de personnes exerçant la même profession, des métiers similaires ou des métiers connexes, concourant à l'établissement de produits déterminés ou la même profession libérale peuvent se constituer librement», *Code du travail*, art. L.411.2.
2. Serge Mallet, *la Nouvelle classe ouvrière,* Paris, le Seuil, 1969, p. 18.

secteur dans le cadre d'un syndicat national) tous les intermédiaires existent.

La CFDT est l'organisation qui favorise le moins les petits syndicats. Elle incite depuis plusieurs années à des fusions. Le nombre de ses syndicats a diminué de plus de 4 000 avant 1970 à moins de 3 500 en 1980 [1].

La CGT totalise au contraire près de 16 000 syndicats, soit le même nombre qu'en 1947-48, mais avec un déclin jusqu'en 1956-1957 (où ils n'étaient plus que 7 700). La politique de Force ouvrière est plus proche de la CGT que de la CFDT : en 1980, elle comptait environ 12 000 organisations de base soit 8 000 à 9 000 syndicats et 3 000 à 4 000 sections de syndicats nationaux, compte tenu de la forte implantation de FO dans le secteur public où prédominent les syndicats nationaux. La tradition de FO dans le secteur privé est celle de petits syndicats, très décentralisés. La CFTC atteignait, en 1979, 1 554 syndicats.

Ainsi les quatre grandes confédérations totalisent-elles vraisemblablement en 1982 plus de 30 000 syndicats, auxquelles doivent s'ajouter quelques milliers (2 000 à 3 000) de syndicats autonomes ou catégoriels. Mais combien d'entre eux ont une activité réelle et régulière ?

Les sections syndicales : le signe du volontarisme syndical

Les sections syndicales correspondent à un autre visage de l'implantation syndicale, surtout pour les quatre confédérations reconnues représentatives au niveau national, qui disposent du droit de désigner des délégués syndicaux même si elles n'ont aucune présence dans l'entreprise [2]. La création de sections syndicales constitue donc un indicateur de la volonté de développement des confédérations et de la capacité d'initiative de leurs militants. En 1979, le nombre des sections syndicales s'élevait à 37 145, soit 42 377 délégués répartis dans 21 743 entreprises. Leur nombre progresse régulièrement : en 1970, 27,5 % des entreprises assujetties possédaient une ou plusieurs sections ; en 1979, le pourcentage atteignait 60,1 % pour 36 191 entreprises. Depuis le début

---

1. Le rapport présenté au 38e Congrès de Brest (8-12 mai 1979) indique : «Nous avons constaté l'existence de syndicats d'entreprises repliés sur eux-mêmes, de syndicats à faibles effectifs disposant de peu de moyens humains et matériels... C'est la raison qui nous incite à estimer que, dans une première étape, il ne devrait pas y avoir de syndicats ayant moins de 50 adhérents (sauf situation particulière), nombre qui devrait être porté à cent ultérieurement...», *Syndicalisme magazine,* numéro spécial, décembre 1978.
2. Le *Code du travail* dispose que : «Tout syndicat affilié à une organisation représentative sur le plan national est considéré comme représentatif dans l'entreprise...», art. L.412-4. La section syndicale possède un double visage : elle est la représentation dans l'entreprise du syndicat qui, lui, est extérieur ; elle regroupe, par ailleurs, les syndiqués de l'entreprise.

d'application de la loi du 27 décembre 1968, le nombre des sections CGT et CFDT diminue en valeur relative, mais non en valeur absolue : les deux confédérations totalisant respectivement 38,8 % et 24,1 % du total des sections contre 44,5 % et 25,5 % en 1970. Les autres organisations ont créé plus lentement des sections syndicales mais comblent progressivement leur retard (voir le tableau en annexe 1).

CGT et CFDT ont proportionnellement leur meilleur taux d'implantation dans les petites et moyennes entreprises (50/149 salariés). Elles sont les deux organisations qui disposent des plus grandes possibilités d'implantation là où les effectifs sont faibles. A elles deux, elles totalisent les deux tiers de l'ensemble des sections dans les entreprises de 50 à 149 salariés mais n'en représentent plus que la moitié dans celles de plus de 1 000. En sens inverse, pour toutes les autres confédérations le taux d'implantation augmente avec la taille de l'entreprise. Les entreprises de plus de 1 000 salariés sont donc celles où le pluralisme est le plus large. C'est là où les petits syndicats non représentatifs sur le plan national mais aussi la CGC, FO et la CFTC ont, proportionnellement, le plus de sections syndicales.

Par rapport au taux moyen de constitution des sections syndicales au niveau national (60,1 %) des différences importantes existent suivant les branches d'activité. Elles sont significatives de la force syndicale par secteur professionnel. Les taux d'implantation les plus forts sont atteints dans les branches « énergies et mines » et « chimie, caoutchouc, amiante » où ils dépassent 70 %. Les plus faibles sont ceux du « commerce non alimentaire » et surtout du « bâtiment et travaux publics » où 45,2 % des entreprises possèdent une ou plusieurs sections syndicales.

Au total, si toutes les confédérations représentatives au niveau national possédaient une section syndicale dans chaque entreprise assujettie, leur nombre atteindrait plus de 180 000 sections sans compter celles des syndicats non représentatifs, soit sensiblement plus de 200 000 délégués, compte-tenu de la multiplicité des établissements de beaucoup d'entreprises.

III - Les fausses similitudes de l'organisation professionnelle des confédérations

Apparemment toutes les confédérations pratiquent le même système de double affiliation, professionnelle et géographique, des syndicats. Le nombre de fédérations (35 à 40 en moyenne) et d'unions départementales (un peu moins que le total des départements : 90 à 95 avec les départements d'outre-mer) varie peu d'une confédération à une autre. La négociation collective de branche a peu à peu conduit toutes les fédérations à adopter des champs de recrutement voisins et à remplir des fonctions analogues. Depuis 1970 (35ᵉ Congrès), la CFDT confie aux unions régionales le rôle statutaire des unions départementales mais le changement est en définitive minime. De même, à la CFDT également, la constitution d'unions interprofessionnelles de base (UIB) ne présente que peu de différences formelles avec les unions locales des autres confédérations [1].

En fait, même avec des dispositions statutaires fort proches (la CGT et FO ont longtemps conservé les mêmes statuts pour bien marquer leur continuité avec l'ancienne CGT), les conceptions sur le rôle des unions départementales et surtout des fédérations vis-à-vis de la base et des directions confédérales sont fort divergentes d'une confédération à une autre.

La tradition confédérée de FO et le volontarisme de la CFDT

Deux grandes séries de différences séparent la CFDT d'une part, et la CGT et FO de l'autre :

• Bien que toutes les confédérations affirment leur attachement au fédéralisme, la perspective autogestionnaire de la CFDT n'exclut toutefois pas un interventionnisme plus actif du sommet à l'égard des organisations confédérées. La CFDT porte encore la marque de ses origines : parce que ses adhérents se sont regroupés à partir d'une conviction doctrinale et non de l'appartenance à une communauté professionnelle précise, les structures fédérales ne possèdent pas encore aujourd'hui la même autonomie qu'ailleurs. La vivacité des débats dans les congrès confédéraux où rien n'est acquis d'avance s'explique aisément par le rôle déterminant de l'appareil confédéral dans l'unité de l'organisation et l'élaboration d'une stratégie. A Force ouvrière, si la direction confédérale est soutenue aussi massivement par des courants composites c'est que la réalité de la vie syndicale se situe dans les fédérations et que

---

1. L'article 5 du règlement intérieur de la CFDT stipule : «Il sera constitué des U.I.B. (Unions locales, d'agglomération, des secteurs ou d'arrondissement) regroupant tous les syndicats et sections CFDT d'une ville ou d'un secteur à l'intérieur d'un département ou d'une région. Cette constitution se fera en accord avec l'organisation interprofessionnelle régionale.» Les unions interprofessionnelles de base qui ne sont pas des structures de gestion sont des organismes d'animation, d'action sur l'opinion publique et de coordination entre les syndicats et les sections qui les composent.

l'action confédérale n'a pas la même importance qu'ailleurs. La force de la confédération réside surtout dans son attachement à l'autonomie des fédérations et unions départementales [1]. A la CGT, les tendances à l'autonomie demeurent fortes surtout dans les fédérations proches du syndicalisme de métier (marins, dockers, livre, mineurs). La vigilance de la confédération à propos de l'élection des dirigeants de syndicats, d'unions départementales, de fédérations ou la nomination de permanents tient autant à une exigence idéologique d'interpénétration avec l'appareil du parti communiste qu'à la volonté d'éviter d'excessives disparités entre des organisations souvent très attachées à leurs particularismes.

• Contrairement à la CGT et à FO, la CFDT mène une politique volontariste à la fois pour éliminer le syndicalisme de métier et pour susciter des regroupements entre des organisations aux moyens insuffisants. Ainsi la fédération des employés qui continue à exister à FO et à la CGT a disparu dès avant le congrès de déconfessionalisation de 1964 [2]. Les employés du secteur industriel ont rejoint les ouvriers de leur branche d'activité tandis que tout le tertiaire est regroupé dans une vaste «Fédération des services et du crédit» à laquelle sont rattachés aussi le livre et le tourisme. De même on ne retrouve pas à la CFDT des fédérations de métier comme celle de la coiffure qui subsiste à la CGT ou à FO ou de la bijouterie qui, à la CGT, est demeurée distincte des métaux jusqu'à une date récente. Si la création d'une fédération «HaCuiTex» (habillement, cuirs et peaux, textile) n'a pas d'autres justifications que la mise en commun des moyens et une certaine convergence des problèmes (secteurs en récession, importance de la main-d'œuvre féminine...) le projet ambitieux d'une «Fédération générale des transports-équipement» regroupant les cheminots, les gens de mer, l'aviation, la batellerie, les chauffeurs routiers et l'habitat relève d'un choix politique justifié par la fonction d'un secteur dans l'économie nationale et non plus par la spécificité des statuts ou des conditions de travail. Réalisée en 1977, non sans difficultés après un premier refus de l'une des composantes (la «Fédération nationale de l'habitat, de l'équipement et des transports» - FNHET), cette décision va à l'encontre de la pratique cégétiste qui maintient sept fédérations pour cet ensemble et de celle de FO qui en compte cinq.

---

1. Lorsqu'elle défend, par exemple, la négociation de branche aux dépens des accords d'entreprise ou des rencontres interprofessionnelles, FO est assurée du soutien massif de ses fédérations.

2. Les partisans de la déconfessionalisation avaient dès 1946 souhaité le développement des fédérations d'industries. Les opposants étaient attachés aux anciennes structures de métiers qui leur étaient plus favorables.

Dans le même esprit, la CFDT a conduit à son terme un processus de mise en place d'une vaste «Fédération générale agro-alimentaire». Cette fédération, créée fin 1979, marque une volonté d'adaptation aux mutations agricoles des deux organisations qui, en 1962, avaient constitué la «Fédération générale de l'agriculture[1].» La CGT a également décidé la fusion de ses deux fédérations de l'agriculture en une «Fédération agro-alimentaire et forestière[2].»

Ce redéploiement autour d'axes d'activités économiques n'est pas seulement une manifestation de l'économisme qui a toujours tenté la CFDT. Ainsi le projet de «casser» les syndicats nationaux en unités régionalisées, davantage coordonnées avec les instances interprofessionnelles, correspond à un choix idéologique: intégration des syndicats nationaux «dans l'action de classe» et refus d'un syndicalisme de délégation orienté exclusivement vers la négociation[3].

Au total, comme le note Denis Segrestin la politique CFDT des structures syndicales se ramène à deux affirmations qui indiquent la rupture avec la tradition des autres confédérations «d'abord la CFDT choisit de donner une définition politique de ses structures de base, c'est-à-dire une définition plus directement en rapport avec les enjeux de l'action qu'avec l'identité des acteurs. Ensuite la CFDT brise le rapport de complémentarité et d'interdépendance institué entre les structures professionnelles et la structure interprofessionnelle, rapport qui faisait de la première un lieu d'identité et de revendication et de la seconde un lieu d'expression de l'unité des travailleurs et de la conscience actuelle[4].»

Cette politique est loin d'être achevée. Les regroupements réalisés relèvent plus d'actions empiriques que d'une planification rigoureuse. Ainsi, par exemple, la «Fédération de la justice» subsiste à côté de celle des «professions judiciaires». Le déplacement des frontières se heurte à des fortes résistances: «Pour ce qui est de la révision des frontières fédérales, note le rapport d'activité du 38e congrès (mai 1979), nous sommes dans l'impossibilité de présenter un bilan entièrement positif, d'une

---

1. «Fédération des travailleurs de la terre» et «Fédération des techniciens et employés d'organismes agricoles».
2. «Fédération de l'agriculture et des forêts» et «Fédération des industries alimentaires».
3. L'origine des syndicats nationaux «relève d'une conception qui n'est pas la nôtre car elle conduit à concevoir l'action syndicale au seul niveau de la négociation, de la délégation, en transférant les responsabilités de tous sur quelques hommes: c'est la conception du syndicalisme assurance.» Projet de rapport au 35e Congrès confédéral, «Structures et charte financière», Conseil national du 25 au 29 octobre 1972, document ronéoté, p. 20-21.
4. Denis Segrestin, «les Communautés pertinentes de l'action collective», *op. cit.*

part, parce que le bureau national a retenu d'autres priorités, d'autre part parce que les problèmes posés par ces regroupements sont complexes et délicats [1]». Les tensions internes nées de l'entrée de militants trotkystes ou maoïstes au lendemain de 1968 ne sont pas étrangères au coup d'arrêt que la direction confédérale indique dans son rapport. Dès 1976, avant l'annonce du recentrage, Edmond Maire écrit : «... Il nous faut aussi lutter contre un autre phénomène propre au basisme : le fait que certains militants négligent systématiquement l'importance de l'organisation syndicale, de ses structures, de ses acquis historiques, de ses réflexions, de son fonctionnement démocratique, collectif et organisé [2].» L'attitude spontanément critique des basistes à l'encontre de toute forme d'organisation et la complexité des regroupements sont loin de suffire à expliquer les difficultés rencontrées.

La disparité des facteurs de regroupement des salariés

Un des obstacles au remodelage des organisations tient à la résurgence du syndicalisme de métier sous une forme nouvelle, la «professionnalisation». «Si une profession, note Jean-Daniel Reynaud, est assez spécialisée et assez bien organisée pour former un corps, elle peut non seulement se fixer sa propre déontologie, mais aussi classer de manière autonome ses membres. L'employeur, bon gré mal gré, lui fait dévolution de ses pouvoirs en ce domaine [3].» Les associations professionnelles qui se sont développées le plus souvent en dehors de toute allégeance syndicale (chez les chefs de personnel comme chez les informaticiens, chez les assistantes sociales comme chez les journalistes) sont la manifestation la plus patente de cette tendance à la défense du statut et à la gestion des carrières, en dehors du pouvoir de décision de l'employeur qui est incité à s'en remettre à l'échelle des valeurs mise au point par les professionnels eux-mêmes.

Jusqu'à présent le phénomène a surtout concerné les salariés dont la situation se rapprochait le plus des professions libérales, les journalistes par exemple. Les emplois d'ouvriers et d'employés, sauf exception liée plutôt à une rareté sur le marché qu'à une qualification élevée, se prêtent mal à ce développement. Mais les syndicats savent bien qu'ils ne peuvent négliger cette volonté de sécurisation et de valorisation d'une compétence.

---

1. Rapport d'activité du 38e congrès de la CFDT, p. 51.
2. *Syndicalisme hebdo*, 4 novembre 1976, p. 4.
3. Jean-Daniel Reynaud, «l'Avenir des relations professionnelles en Europe occidentale. Perspectives et hypothèses», conférence publique à l'IIES à Genève publiée dans le bulletin de l'Institut, 1968.

D'ailleurs malgré leur volonté de voir les cadres et les employés rallier les ouvriers dans une même fédération, toutes les confédérations syndicales ont maintenu un système de double regroupement pour les cadres : l'un catégoriel dans une «union» de cadres, l'autre banalisé dans les fédérations. La concurrence exercée par la CGC explique largement mais non totalement le maintien de ce particularisme pour une catégorie de salariés.

Par ailleurs, intervient l'interpénétration plus complexe entre l'action des fédérations et celles des instances géographiques : dans les centres commerciaux et les tours-bureaux où se côtoient des entreprises de branches différentes, certains syndicats souhaitent la signature de conventions collectives interprofessionnelles sur des questions telles que l'hygiène, la sécurité et les conditions de travail [1].

La multiplication des conflits de longue durée souvent provoqués par une même cause (la défense de l'emploi, par exemple) et menés suivant les mêmes stratégies a parfois incité les militants, surtout à la CFDT à souhaiter une coordination de leur action en dehors du cadre des fédérations.

On retrouve là la tendance originelle du mouvement ouvrier où les structures provisoires nées de l'action directe tenaient lieu d'organisation permanente.

A un moindre degré, la diversification des intérêts professionnels, la part croissante des problèmes spécifiques à de petits groupes, vitaux pour leurs membres mais sans signification pour l'extérieur, constituent un handicap non négligeable pour l'effort de regroupement souhaité par les confédérations.

IV - Démocratie directe et représentation médiatisée

Les élections des instances de direction des confédérations [2] relèvent de deux types : la démocratie directe ou la démocratie médiatisée. Dans le premier cas les syndicats élisent directement l'exécutif de leur confé-

---

1. Le rapport Auroux a fait écho à cette demande spécifique à la CFDT. Le nouvel article L.132.31 du *Code du travail* prévoit que des accords peuvent regrouper localement sur un plan interprofessionnel les entreprises de moins de 11 salariés.
2. Le terme de «confédération» désigne à la fois l'ensemble des organisations qui la composent (syndicats, unions départementales, fédérations...) et les instances de direction qui coiffent les organisations confédérées.

dération. Dans le second cas la responsabilité en incombe aux fédérations et unions interprofessionnelles. Par analogie avec les structures politiques on est parfois tenté de qualifier de «présidentialistes» et de «parlementaires» ces deux modes de désignation. Dans un cas l'adhérent élit l'équipe de direction sinon directement, du moins par l'intermédiaire des délégués de son syndicat au congrès. Dans l'autre, les intermédiaires, dirigeants de fédérations et d'unions départementales, professionnels du syndicalisme, souvent permanents, procèdent à cette élection. Toutefois l'analogie cesse là :

• D'une part, les instances de direction sont elles-mêmes multiples et généralement au nombre de trois :

— *le comité confédéral national* (CCN), appelé conseil national (CN) à la CFDT, se réunit en général deux fois par an ; il regroupe toutes les fédérations et unions interprofessionnelles (unions départementales ou unions régionales suivant les confédérations), soit 200 à 300 personnes. Dans l'intervalle du congrès, il joue le rôle d'un «sénat» consultatif, chambre de réflexion plus qu'organe législatif.

— *la commission exécutive* (35 membres à FO et 131 à la CGT) [1], le bureau national (BN), 39 membres à la CFDT [2], le conseil confédéral (CC), 48 membres à la CFTC représentant l'instance officielle de direction qui siège trois à quatre fois par an, quelquefois plus (à la CFDT, le bureau national, siège tous les mois). Pratiquement, dans toutes les confédérations, c'est à cette instance que le secrétaire général et son équipe rendent compte de leur action et que sont soumis, sous forme de rapports, les choix stratégiques de la confédération. Ainsi le «recentrage» de la CFDT a été discuté pour la première fois par le bureau national de janvier 1978.

— *le bureau confédéral* (BC), 12 membres à FO, 18 à la CGT depuis 1982 contre 16 auparavant, 18 à la CFTC, dénommé commission exécutive à la CFDT, (CE), 10 membres, ayant à sa tête un secrétaire général,

---

1. Avant la réforme des statuts de 1969, la commission exécutive de la CGT, alors appelée commission administrative, ne comportait que 35 membres. Ses effectifs ont été alors portés à 75, puis augmentés par la suite jusqu'à 93. Au 41e Congrès de Lille (juin 1982) le nombre est passé à 131 pour assurer «un renouvellement nécessaire et un élargissement conforme à l'effort poursuivi depuis le 40e Congrès» (intervention d'André Allamy, secrétaire confédéral). Malgré l'identité des termes la commission exécutive de la CGT ne correspond pas à la même instance qu'à la CFDT. La correspondance est entre bureau national (CFDT) et commission exécutive (CGT) d'une part, et bureau confédéral (CGT) et commission exécutive (CFDT) d'autre part.
2. Le bureau national de la CFDT a été porté de 31 à 39 membres lors du 39e Congrès de Metz (mai 1982) de façon à permettre l'accession de davantage de femmes (10 au total dont 8 au titre des nouvelles dispositions) à des postes de responsabilité : toutes les organisations étaient d'accord sur le principe de cet élargissement mais étaient réticentes pour présenter des candidates à la place de candidats. Aussi est-ce par le biais de l'augmentation des effectifs que le problème a été réglé.

constitue l'exécutif permanent de chaque confédération. Il siège au moins une fois par semaine et, en pratique, une réunion informelle des dirigeants parisiens a lieu plusieurs fois par semaine en fonction des besoins. Cette instance n'agit en principe que dans le cadre des orientations fixées par les congrès et la commission exécutive (ou le bureau national à la CFDT). En fait il s'agit là d'un véritable gouvernement disposant d'une large autonomie au moins pour l'action immédiate.

• D'autre part, avec des pouvoirs différents suivant les confédérations, les instances de direction interviennent à la fois pour la désignation des responsables et pour la fixation des orientations. La démocratie syndicale a parfois des allures de régime d'assemblée. Les règles de répartition des pouvoirs entre le congrès et la triade d'instances confédérales de direction constituent un système subtil de *checks and balances* qui confère une grande originalité à la démocratie syndicale.

• Enfin, dans aucune confédération, les syndiqués n'élisent directement les dirigeants confédéraux. Il n'y a nulle part réellement de démocratie directe.

Le fédéralisme de Force ouvrière

Force ouvrière se défie de l'intervention directe de la base dans l'élection des dirigeants. Elle estime que les adhérents ne connaissent pas assez les responsables nationaux pour les choisir valablement et surtout que la démocratie repose sur la double filière des fédérations et des unions départementales. L'élection des instances confédérales par les syndicats conférerait à ces derniers une importance excessive, nuisible à l'autonomie de chaque organisation confédérée. Le schéma de fonctionnement est donc très simple : le congrès, réuni tous les trois ans, discute et vote le rapport d'activité, fixe les orientations, éventuellement modifie les statuts mais ne désigne aucun dirigeant. Le comité confédéral national constitué par les secrétaires des fédérations et des unions départementales a la responsabilité d'élire à la fois le bureau confédéral et les 35 membres de la commission exécutive « non compris les membres du bureau confédéral qui y siègent de droit » (article 7 des statuts). Dans ces élections les fédérations disposent du même nombre de voix que les unions départementales [1]. De tradition, le nombre des candidats au bureau confédéral est égal au nombre de sièges à pourvoir. Depuis la fondation de FO il n'est arrivé que deux fois qu'un candidat surnuméraire se présente, sans être élu d'ailleurs. En revanche la compétition est

---

1. Comme il y a moins de fédérations que d'unions départementales, un coefficient est accordé aux fédérations pour permettre la parité entre les unions départementales et les fédérations.

réelle pour la commission exécutive (en 1977, 46 candidats pour les 35 sièges) et la dispersion de voix est assez considérable (en 1977 le premier élu avait 6 318 voix et le dernier 3 690).

TABLEAU I — ORGANIGRAMME DE LA CGT - FO

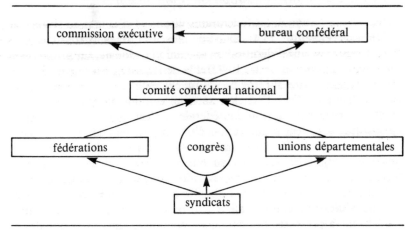

Dans la commission exécutive élue en 1980, 22 élus représentent les fédérations (19 en 1977) et 13 les unions départementales (16 en 1977). 27 membres siègeaient déjà dans l'ancienne commission contre 25 en 1977. Au bureau confédéral, la moyenne d'âge des 12 membres était de 51 ans en 1980 au moment de l'élection contre 48 ans en 1977 et 53 en 1974. On y compte autant de représentants des fédérations de secteur privé que du secteur public.

Les interrogations multiples de la CFDT

La CFDT est la confédération dont le système électif est le plus complexe. En effet l'ambition de la réforme des statuts votée en 1970 est de concilier trois séries d'exigences en partie contradictoires.

• *L'élection directe par le congrès*

Le changement majeur est alors celui de l'élection des membres du bureau national par le congrès où siègent, comme dans les autres confédérations, les délégués des syndicats. Deux ans après 1968, la CFDT entend marquer son inclination pour une démocratie semi-directe. Cependant à titre indicatif, parce que les congressistes, qui sont souvent de très récents adhérents, connaissent mal les dirigeants nationaux, le vote se fait à partir d'un classement préférentiel établi par le comité national. Les électeurs demeurent libres de modifier cet ordre de présentation.

• Le mandat d'une fédération ou d'une union

Au bureau national, les fédérations disposent d'autant de sièges que les unions régionales : 28 au total; de plus, 10 dirigeants sont élus sans être désignés par une fédération ou une union régionale, sur proposition du bureau national sortant [1]. En effet la désignation, par une fédération ou une région repose sur une condition évidente: y exercer une responsabilité effective. Or à l'échelon national certains dirigeants se consacrent entièrement à l'action confédérale et n'ont plus que des contacts épisodiques avec leur organisation d'origine. Le mandat qu'ils conservent parfois est fictif. Rompant avec la pratique antérieure qui avait imaginé d'adjoindre aux élus du bureau confédéral des «conseillers techniques» cooptés ou de proposer des désignations «es qualité», la réforme de 1970 prend acte de l'absence de lien réel entre certains membres de la direction confédérale et leur base et autorise le bureau national sortant à présenter des candidats comme les unions régionales et fédérations. Ce mode d'élection ambitionne d'apporter une réponse satisfaisante au problème de la légitimation démocratique des appareils bureaucratiques dont aucune grande organisation, fût-elle syndicale, ne peut faire l'économie. A titre symbolique un 39e siège est réservé à l'Union confédérale des cadres, ce qui n'exclut pas la présence de cadres à d'autres titres.

• Le souci de représentativité

Traditionnellement le souci de représentativité des organismes de direction incite à multiplier le nombre des sièges de façon à équilibrer commodément la représentation non seulement des fédérations et des régions mais les tendances et les catégories socioprofessionnelles. A l'opposé, une collégialité réelle exige des instances relativement peu nombreuses et homogènes sous peine de provoquer une division excessive des responsabilités et un renforcement des pouvoirs du secrétaire général, seul arbitre entre la multiplicité des groupes.

---

1. Avant le congrès de 1982 le bureau national était composé de 31 membres dont 20 au titre des fédérations et unions régionales. Depuis, les statuts modifiés prévoient que fédérations et unions régionales disposent de 14 membres pour chaque collège dont au moins 4 femmes, étant entendu, par ailleurs, que ces membres doivent provenir d'au moins 10 organisations pour éviter l'exclusion de celles dont les effectifs sont les moins nombreux.

A la CFDT, le compromis s'est établi à 10 membres pour la commission exécutive et, initialement à 31 pour le bureau.

TABLEAU II — ORGANIGRAMME DE LA CFDT

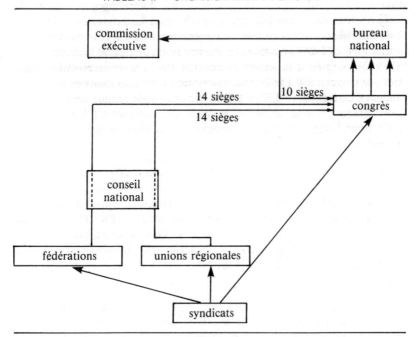

En résumé, le processus d'élection est le suivant :

— les fédérations et les unions régionales ont droit à 28 sièges au bureau national,

— le bureau national propose également les candidats pour les 10 sièges dont il dispose et qui reviennent en fait aux futurs membres non encore officiellement élus de la commission exécutive,

— le conseil national classe les candidats (classement indicatif),

— le congrès vote souverainement sur les propositions qui lui sont faites,

— l'union confédérale des cadres désigne le 39e membre du bureau national,

— le bureau national élit en son sein les 10 membres de la commission exécutive.

Depuis la mise en place de cette nouvelle organisation, la tradition s'est établie que les unions régionales et les fédérations présentent davantage de candidats que de postes à pourvoir et que le bureau national sortant, de son côté, ne désigne pas plus de candidats que de postes à pourvoir (soit 10)[1]. Faute donc de pouvoir choisir pour ce collège, les congressistes usent alors de leur droit de rayer les noms : ainsi, en 1976, Edmond Maire est élu en tête du collège présenté par le bureau national sortant avec 21 240 voix mais le dixième ne recueille que 12 607 voix. En 1979 (38e Congrès) le secrétaire général n'est élu qu'en troisième position, le premier élu Pierre Hureau recueillant 19 836 voix et le dernier, Jacques Chérèque 14 177. En 1982 c'est la seule femme de la commission exécutive qui recueille le plus de suffrages (19 541) tandis qu'Edmond Maire rétrograde en sixième position, le dernier élu ayant 14 295 voix.

De la même façon, l'élection de la commission exécutive par l'ensemble des 39 membres du bureau national traduit la cote de popularité des dirigeants auprès de leurs pairs. Leurs préférences ne sont d'ailleurs pas semblables à celles des militants venus au congrès. En 1979 tandis que deux membres recueillent 30 voix sur 31 — on ne vote pas pour soi ! — le moins bien élu ne recueille que 20 voix. En 1982, Edmond Maire et Jacques Chérèque reçoivent 39 voix alors qu'ils avaient été relativement « mal » élus par le *congrès*.

Fait significatif : à chaque congrès, les membres élus à la commission exécutive se trouvent tous être les 10 candidats présentés par le bureau national. Au total, tout se passe comme si l'ancienne direction désignait la nouvelle et demandait simplement au bureau de ratifier ce choix[2].

Le poids des communistes à la CGT

Depuis 1969, la CGT a renoncé au système qu'elle avait en commun avec FO et qui excluait l'élection de la commission exécutive des compétences du congrès. Comme la CFDT, elle fait élire cette instance, chargée ensuite d'élire le bureau confédéral directement par le congrès. Malgré cette convergence le fonctionnement des deux confédérations demeure fort dissemblable.

---

1. En 1982, les fédérations ont présenté 15 candidats et les unions régionales 19.
2. En 1973 le bureau national sortant n'ayant désigné que 9 candidats, la nouvelle commission exécutive ne devait compter que 9 membres sans qu'on la complète à partir des élus des fédérations et des régions.

Le 37e congrès de la CGT (Vitry, 16-21 novembre 1969) a introduit plusieurs modifications aux statuts. Deux changements majeurs concernent les structures :

— les possibilités d'action de la confédération sont renforcées : « Les dispositions relatives à l'action confédérale ont été modifiées pour libéraliser davantage et prendre en compte les effets propres à la confédération dont il n'était pratiquement pas question auparavant [1].»

— rompant avec les dispositions identiques à celle de FO, la commission exécutive est désormais élue par le congrès sur proposition du comité confédéral qui continue à élire le bureau confédéral [2]. Les membres de ce dernier doivent cependant être d'abord élus par le congrès en tant que membres de la commission exécutive.

TABLEAU III — ORGANIGRAMME DE LA CGT

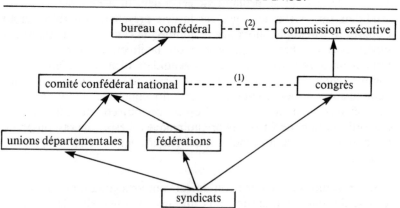

(1) Les candidats à la commission exécutive sont élus par le congrès mais présentés par le comité confédéral national.
(2) Les membres du bureau confédéral doivent être, préalablement à leur élection, membres de la commission exécutive.

---

1. André Berteloot, «la Réforme des statuts de la Confédération», *le Peuple,* 25 octobre 1969.
2. Les statuts indiquent: «Le comité confédéral national prend acte des candidatures à la commission exécutive et présente une proposition au congrès.» Le comité confédéral national ne limite pas son rôle à établir un ordre préférentiel comme à la CFDT mais il dispose du droit de ne pas présenter tous les candidats proposés par les fédérations et les unions départementales: en 1978, le comité confédéral national a éliminé 16 candidatures. Aux débuts du siècle les anarcho-syndicalistes avaient instauré le congrès comme instance souveraine de représentation directe des syndicats pour écarter les «fonctionnaires syndicaux» des fédérations et des unions départementales.

Les différences de ce mode de désignation par rapport à la CFDT sont donc nombreuses, notamment en ce qui concerne le bureau confédéral dont l'élection ne relève pas de l'instance élue par le congrès, la commission exécutive, mais par l'ensemble de l'appareil presque exclusivement composé de permanents. Surtout, le contrôle de l'appareil demeure fort parce que les candidats à la commission exécutive sont proposés non par les syndicats mais par les fédérations et unions départementales et que le comité confédéral national (réunion des secrétaires d'unions départementales et de fédérations) dispose d'une sorte de droit de veto à l'égard des candidatures [1].

Même si les discussions sur les candidatures sont réelles dans les fédérations et unions, la marge de choix du congrès est limitée puisque le nombre de candidats correspond presque toujours au nombre de sièges à pourvoir. Contrairement à la pratique de FO et de la CFDT, les congrès de la CGT se prononcent généralement à l'unanimité sur les candidats sans biffer de noms sur la liste présentée. En 1978, au 40e Congrès de Grenoble, alors que le nombre de candidats est légèrement supérieur au nombre de sièges à pourvoir, la direction confédérale invite fermement à voter pour les seuls «candidats officiels» [2]. En 1982, le compte rendu du congrès indique «la direction confédérale confrontée naturellement à 156 candidatures, a dû faire appel aux unions de fédérations et aux candidats pour tendre vers cet objectif de 130... Je dois d'abord, au nom de CCN, rendre hommage à l'esprit de responsabilité des organisations et des candidats qui ont cru devoir retirer leurs candidatures...».

Si, de tradition, le bureau confédéral comporte autant de communistes que de non communistes, aux niveaux intermédiaires les militants communistes occupent la quasi-totalité des postes de responsabilité: la commission exécutive élue en 1978 comptait 70 communistes sur 93 (dont 12 membres du comité central du PCF) soit les trois quarts contre

1. Ainsi présentant au 41e congrès la nouvelle commission exécutive, André Allamy déclare à propos d'un candidat, ancien secrétaire général de la fédération des Finances, et par ailleurs opposant à la ligne confédérale: «... informé de la nouvelle situation créée par l'ensemble des décisions du tout récent congrès de cette fédération, Yves Peyrichou n'ayant pas été réélu secrétaire général, le CCN a estimé ne pas devoir retenir sa candidature.»

2. «Le bulletin de vote a été établi de façon à permettre aux délégués de porter différemment leurs voix sur les candidats présentés par le Comité confédéral national. Mais le bulletin permettait aussi de voter pour les candidats statutaires non retenus par le CCN. Si, par hypothèse, l'un ou plusieurs de ces derniers avaient obtenu plus de voix que des candidats officiels, ils auraient été élus à leur place», la Vie Ouvrière, spécial congrès, 10 novembre 1978. Selon les statuts (art. 10) le comité «présente ses propositions au Congrès». C'est dire qu'il existe une discrimination entre les candidatures officielles et les autres.

57 (soit 61 %) en 1976. De même les secrétaires généraux des 41 fédérations et organismes assimilés, à l'exception de deux (officiers mécaniciens et officiers radio de la marine marchande) sont tous des communistes. Dans les unions départementales, la proportion est même de 100 %, les secrétaires d'unions étant généralement membres du bureau fédéral du parti communiste.

Cette sur-représentation communiste n'exclut pas — au contraire — une volonté constante de faire de la commission exécutive et du bureau confédéral un microcosme de toutes les catégories socioprofessionnelles ce qui explique les effectifs élevés de la commission exécutive, le clivage entre fédérations et unions départementales (52 représentants pour les premières, 41 pour les secondes en 1978) et la proportion élevée de femmes au regard de la place qu'elles occupent dans les instances dirigeantes des autres confédérations : la commission exécutive compte plus du quart de femmes depuis 1975 (27 sur 93 en 1979 et 36 sur 131 en 1982) et le bureau confédéral 4 sur 18 (3 sur 16 en 1979).

V - La démocratie syndicale en action

L'expression de la démocratie syndicale varie suivant les conceptions de chaque confédération. Elle ne se limite d'ailleurs pas au seul jeu des rapports entre adhérents, militants et dirigeants. Les inorganisés, à travers, par exemple, les scrutins pour le déclenchement des grèves ou la reprise du travail jouent un rôle grandissant dans le système syndical de décision. Les confédérations portent d'ailleurs des avis divergents sur le caractère démocratique de ces pratiques : la CFDT et la CGT y sont souvent favorables avec des justifications différentes, mais FO estime que les représentants syndicaux doivent exercer pleinement leurs responsabilités quitte à être désavoués au moment du renouvellement de leur mandat.

Cependant deux pratiques fondamentales de l'exercice de la vie démocratique — le vote des rapports à l'occasion des congrès et le renouvellement des organismes directeurs — sont particulièrement révélatrices de l'application concrète des principes démocratiques dont se réclament les syndicats.

Unanimisme et droit des tendances

La démocratie syndicale est de type unanimiste. Dans les congrès

23

confédéraux les désaccords n'aboutissent jamais au rejet des rapports d'activité et des motions d'orientation [1].

Les scrutins sur les textes généraux ne sont toutefois pas toujours les plus significatifs de l'expression des tendances car il est rare que des divergences sur un point particulier entraînent un refus du quitus pour toute l'action menée ou un rejet global des orientations proposées. La scission, comme ce fut le cas en 1947 à la CGT, en 1964 à la CFTC au moment de sa déconfessionalisation ou en 1967 à la CGC avec la création de l'«union des cadres et techniciens» [2], est dans la tradition syndicale française l'issue des désaccords fondamentaux. Parfois les débats et votes sur un texte apparemment secondaire ou sur une simple règle de procédure sont les vrais révélateurs de l'importance des différentes tendances qui s'opposent à la direction confédérale.

Dans ce cadre général, les confédérations sont loin d'avoir toutes les mêmes politiques. Elles se classent aisément en deux groupes :

— celles pour lesquelles les congrès sont surtout une manifestation d'unité et d'approbation de la ligne confédérale, ce qui n'exclut pas l'expression de positions minoritaires souvent rituelles et marginales. Ainsi en est-il de la CGT-FO et surtout de la CGT ;
— celles pour lesquelles les congrès sont «ouverts» ; même si les directions confédérales ne risquent pas d'être mises en minorité, les débats sont serrés et les votes ne sont jamais des exercices de ratification. C'est le cas de la CFDT et de la FEN. La CGC, longtemps monolithique durant la présidence d'André Malterre, tend maintenant à se ranger dans ce second groupe.

A Force Ouvrière, depuis le premier congrès de 1948, le rapport moral n'a jamais été adopté par moins de 83,7 % des voix (congrès de 1961). Le soutien accordé à l'équipe sortante regroupe généralement entre 85 et 90 % des mandats. Les questions relatives à l'organisation interne et à la modification des statuts sont habituellement celles qui soulèvent le plus de réserve chez les congressistes. La tradition confédérée de Force ouvrière accorde une grande autonomie aux fédérations mais s'accommode mal d'initiatives confédérales touchant aux cotisations, aux règles

---

1. Les informations nécessairement partielles recueillies sur les unions départementales, les fédérations et les syndicats corroborent ce constat pour tous les niveaux de la vie syndicale.
2. L' «Union des cadres et techniciens» animée par M. Gilbert Nasse s'est alors séparée de la CGC d'André Malterre. Un désaccord sur un projet de politique salariale à EDF visant à réduire l'éventail des salaires très critiqué par le président de la CGC a été l'occasion d'une rupture prévisible depuis longtemps. L'UCT a maintenant réintégré la CGC.

de représentation ou au fonctionnement des instances de direction confédérale.

Traditionnellement, à la plupart des congrès, les représentants des courants anarcho-syndicalistes (notamment Alexandre Hébert de l'union départementale de Loire-Atlantique) ou plus rarement trotskystes (Pierre Lambert et Arlette Laguiller) proposent une motion d'orientation en concurrence avec celle de la direction confédérale. Au gré des années, 10 à 15 % des voix se portent sur ces motions. Avant qu'elle ne fusionne avec son homologue de la CFDT en 1972/1973, la « Fédération de la chimie », animée par Maurice Labi, avait essayé à plusieurs reprises de créer un troisième courant minoritaire dit « moderniste » qui n'a jamais recueilli beaucoup de suffrages [1]. De même aussi, certains socialistes souhaitent-ils parfois un rapprochement plus marqué avec les thèses du PS et font-ils reproche à André Bergeron, lui-même adhérent au parti socialiste, de marquer trop de tiédeur à l'égard de son propre parti.

En fait, la tradition très empirique de Force ouvrière s'accommode mal de débats visant à préciser les grands principes dont elle s'inspire. En 1961, la motion sur l'intéressement n'est adoptée que par 72,9 % des voix tandis que le texte d'orientation économique présenté par Robert Cottave (cadres) est écarté par 70,6 % des suffrages (27,6 % pour et 1,7 % d'abstentions). De même, le rapport sur la « place du syndicalisme dans la société » présenté en 1971 par Gabriel Ventejol au nom du bureau confédéral ne recueille que 81,6 % des voix alors que le rapport moral l'avait été par 89,9 %. Assurément, le niveau d'approbation était massif mais il marque combien la sensibilité des militants de Force ouvrière les écarte des débats de doctrine.

A la CGT la tradition de l'unanimité est solidement établie depuis 1948 (en 1946, dernier congrès avant la scission, le rapport d'activité avait été adopté par 85,6 % des voix, 12,8 % contre et 1,6 % d'abstentions). La démocratie du vote à main levée aboutit toujours à des scores supérieurs à 99 % des voix, sauf au congrès de Grenoble de 1978 où le

---

1. Voir sur les courants de FO Alain Bergounioux *Force Ouvrière*, Paris, Le Seuil, 1975, p. 172, qui conclut : « Ainsi il n'y a jamais eu au sein de FO une opposition qui aurait pu coaliser les minorités : le désaccord entre elles était profond, dans le vocabulaire, la stratégie, la doctrine. Finalement réformistes, syndicalistes révolutionnaires et trotskystes, tout en leur attribuant un sens différent, admettent les limites du syndicalisme. L'opposition de la Fédé-chimie se révéla être la seule incompatible avec le jeu des relations internes. Quelques mois plus tard eut lieu une scission dans les industries chimiques : les minoritaires fusionnèrent avec la CFDT correspondante. En effet, dans le cas où le consensus sur le projet syndical n'est plus admis, les relations internes sont désorganisées. »
En 1980, les anarcho-syndicalistes et trotskystes qui avaient obtenu 6,9 % des voix en 1977 (14,1 % en 1974) n'ont pas présenté de motion. La tendance dite « néo-droite » a recueilli 9,1 % des suffrages alors qu'elle n'avait préparé aucun texte en 1974.

pourcentage s'est abaissé à 96,9 %. Il est remonté à 97,3 % à Lille, en 1982 (1,1 % contre et 1,5 % d'abstentions). Le rapport d'orientation et les amendements aux statuts (dispositions sur les cotisations et le carnet pluriannuel d'adhésion) ont été adoptés quant à eux par plus de 99 % des mandats.

Dans la pratique cégétiste, c'est en principe avant le congrès confédéral et au niveau des syndicats, unions et fédérations que s'instaure la discussion. Mais, à l'évidence, le système de représentation à plusieurs degrés et le rôle déterminant de filtre des fédérations aboutit à l'élimination des voix discordantes. Dans le passé, les opposants tels Pierre Le Brun, Léon Rouzaud (Finances) ou Édouard Ehni (Livre), qui ne disposaient que d'un nombre minime de mandats, se sont presque toujours gardés de présenter des textes qui, voués à un rejet massif, auraient de surcroît été interprétés comme une critique globale de la confédération.

Ainsi en 1957, au lendemain des événements de Hongrie et de l'alignement de la CGT sur la position communiste favorable à l'intervention soviétique, une proposition de Édouard Ehni interdisant le cumul des mandats politiques et syndicaux est-elle rejetée par 92,2 % des voix. Un texte semblable présenté par le syndicat des pétroles de Donges en 1969 ne recueille que 0,0003 % des mandats ! Une proposition analogue du «Syndicat des correcteurs de Paris» est écartée en 1982 par plus de 98 % des mandats.

Plus récemment, les militants socialistes (dont Claude Germon, membre de la commission exécutive), lors du congrès de Grenoble n'ont pas voulu non plus se compter sur des textes différents de ceux de la direction confédérale. Liés par une sorte de «solidarité gouvernementale» les membres non communistes du bureau confédéral savent qu'il leur est difficile de manifester une position différente de celle qui est adoptée officiellement.

Les votes au dernier congrès ne reflètent cependant pas l'ampleur de la crise interne de la CGT amorcée publiquement après la rupture de l'union de la gauche avec la pétition pour «l'union dans les luttes» qui regroupait des socialistes, des communistes critiques et des militants apolitiques appuyés par un membre du bureau, René Buhl, critiqué à ce sujet lors du comité confédéral national de mai 1980. Depuis trois événements ont fait rebondir en permanence ces tensions, les plus graves que la CGT ait connues depuis 1947 :

— Tout d'abord à l'occasion de l'intervention militaire en Afghanistan, deux communistes, membres du bureau confédéral (Jean-Louis Moynot et Christiane Gilles) s'abstiennent sur le texte proposé par la direction confédérale qui ne veut ni approuver ni condamner cette intervention.

— En janvier 1982, après l'instauration de l'état de siège le 13 décembre 1981 en Pologne, neuf voix hostiles et trois abstentions s'élèvent parmi les 93 membres de la commission exécutive à propos du rapport de Pierre Gensous qui refuse de soutenir Solidarité accusée de « contester le régime ». Il s'agit d'un membre du bureau confédéral, Gérard Gaumé, de Pierre Feuilly, tous deux socialistes ainsi qu'Ernest Deiss également membre du bureau, Roger Rousselot, Robert Jevodan, René Buhl, Jacqueline Lambert, Jean-Louis Moynot, Christiane Gilles, tous quatre membres démissionnaires du bureau confédéral. Les troix abstentionnistes sont des représentants des mines de fer, des unions départementales de la Loire et du Maine-et-Loire. Une « coordination syndicale CGT pour Solidarité » affirme avoir recueilli des soutiens de 6 fédérations, 22 syndicats nationaux, 16 syndicats régionaux et 400 sections d'entreprise.

— Enfin, de façon plus permanente, la préparation des élections de 1981 marque l'apogée des oppositions entre la petite minorité socialiste au sein de la CGT et les dirigeants communistes. Tandis que les premiers (Claude Germon, Pierre Carassus, Daniel Caudron) soutiennent François Mitterrand, les seconds engagent la centrale derrière Georges Marchais.

Après les élections le soutien apporté par la CGT au gouvernement ne fait cependant pas cesser le conflit interne. Malgré les entretiens officieux menés avec le représentant du parti socialiste Marcel Debarge pour assurer une représentation plus substantielle des militants socialistes au sein des organes de direction, la plupart de ceux-ci (dont Pierre Feuilly) se trouvent écartés de la commission exécutive. Fait significatif les deux élus qui recueillent le moins de voix sont deux socialistes (Jeannine Parent et Pierre Carassus).

Vainqueur de ces multiples contestations, le nouveau secrétaire général, M. Henri Krasucki, symbole d'une ligue « dure », estime que l'heure est au combat, non au débat. Mais y a-t-il des exemples de confédérations syndicales qui ont pu mettre fin à une crise par voie d'autorité ?

La CFDT connaît toujours des congrès animés. Jusqu'en 1964, les débats entre la majorité et la minorité favorable à la déconfessionalisation provoquent des scrutins parfois très serrés : ainsi en 1957, le rapport d'activité n'est approuvé que par 56,5 % des mandats. De 1964 jusqu'au congrès de 1973 la direction confédérale bénéficie d'un soutien massif au moins en ce qui concerne le quitus à son action passée (87,6 % des voix en 1973 et 12,38 % contre). Depuis 1976, l'approbation est beaucoup plus nuancée puisque le score est tombé à 66,03 % en 1976 (37ᵉ Congrès), 56,7 % en 1979 (38ᵉ Congrès) et 59,3 % en 1982.

Si le scrutin de 1979 est directement lié aux difficultés à faire approuver le «recentrage» par la base, celui de 1976 antérieur à l'infléchissement de la stratégie cédétiste tient plus à la multiplication des tendances minoritaires qu'à une hostilité à la direction confédérale puisqu'au 37ᵉ Congrès d'Annecy (1976) Edmond Maire avait été réélu par plus de 90 % des voix (76 % en 1979 à Brest). Fait exceptionnel, pas moins de 12 contre-projets à la résolution générale sont alors présentés, recueillant de 12,6 % à 42,07 % des voix. Analysant ce congrès Edmond Maire déclare : «Il est impossible de continuer à travailler trois ans encore sur ces bases floues... sinon au congrès de 1979, le cartel des refus constituera une majorité négative et nous serons dans l'impasse [1].»

Ce risque d'éparpillement et de blocage tient à l'époque à la superposition de deux types de clivage. Selon Thierry Pfister : «Les syndicats professionnels constituent l'ossature de la CFDT, les structures interprofessionnelles ayant plus de mal à trouver leur point d'appui. Les premiers sont contraints à un certain réalisme, les secondes sont souvent animées par de jeunes syndicalistes qui, tels les enseignants, les salariés du tertiaire ou de la santé, ont du mal à s'implanter dans leurs branches. Les premiers se limitent, conformément à la tradition du syndicalisme français, au monde des salariés. Dans les secondes, au contraire, sont pris en charge les problèmes généraux. C'est à ce niveau que se regroupent les chantres de l'autogestion [2].»

A ce premier clivage s'en ajoute un second plus directement politique et correspondant aux troix courants minoritaires s'opposant à la direction confédérale :

— Le courant le plus important, animé par Pierre Héritier rassemble la région Rhône-Alpes, le bâtiment, une partie des P & T et de la banque. Il est dominé par des militants du CERES.

— Des membres du PSU contrôlent un courant populiste incarné naguère par Charles Piaget, le héros de la lutte de Lip. Il est présent bien sûr à Besançon et dans le Doubs, mais aussi aux P & T et dans la banque, et également dans la fédération HaCuiTex.

---

1. Interview accordée au magazine *le Point,* le 25 octobre 1976.
2. *Le Monde,* 19 décembre 1975.

— Le troisième courant qui «colle» aux deux précédents, est celui de la véritable extrême gauche révolutionnaire, à ossature notamment trotkiste. Disséminé à travers de nombreuses fédérations, on le retrouve en particulier dans le secteur de la santé, au SGEN, dans les unions locales des grandes villes (notamment universitaires), dans le Midi et en Normandie.

Pour éviter que la centrale ne devienne un lieu privilégié d'affrontements politiques, la direction confédérale, à l'initiative de la plus puissante des fédérations, celle de la métallurgie, s'était alors rapprochée du PS à travers les «assises du socialisme» d'octobre 1974. La direction confédérale espérait ainsi donner à ses cadres l'éducation politique nécessaire pour résister à la «gauche syndicale».

Le succès de la gauche n'a pas fait disparaître les oppositions mais elles se sont diluées et ne représentent plus les lignes bien marquées que naguère Edmond Maire dénonçait comme un «cartel des non», capable seulement de devenir une majorité négative. Le secrétaire général distinguait alors une petite minorité d'extrême gauche (essentiellement des trotskystes de la LCR) contestant fondamentalement la ligne confédérale et «composée de coucous qui venaient déposer des œufs dans notre nid» et ceux qui, ne remettant pas en cause l'essentiel des orientations confédérales, avaient regroupé en 1976 les trois sensibilités minoritaires autour d'un seul texte dit «contribution». Aujourd'hui la «contribution» n'est plus qu'un souvenir.

Sans doute les critiques n'ont-elles pas manqué, au congrès 1982 de Metz, les uns ont craint une révision en baisse des revendications et un soutien de la CFDT à une austérité de gauche; d'autres ont exprimé le malaise des militants face au «présidentialisme» d'Edmond Maire; enfin un dernier groupe (essentiellement HaCuiTex) a regretté la rupture de l'unité d'action avec la CGT devenue, au terme d'une résolution, le partenaire «le plus important» et non plus «privilégié». Mais l'existence même d'un gouvernement de gauche limite la portée de ces critiques d'humeur qui ne débouchent sur aucune autre stratégie de rechange et ne peuvent plus en appeler à un changement politique pour faire aboutir les revendications.

Par ailleurs les problèmes d'organisation tiennent toujours une large place dans les congrès de la CFDT. Beaucoup plus volontariste et centralisée que Force ouvrière, la CFDT a cependant dû à plusieurs reprises faire marche arrière dans ses propositions aux congrès: ainsi le projet de charte financière est-il repoussé en 1970 par 62,5 % contre 37,2 % des voix malgré le soutien dont il bénéficie de la part de la direction confédérale [1]. Mais les réticences des organisations confédérées ne sont pas aussi constantes qu'à FO puisqu'en 1979 la nouvelle charte financière est adoptée à une majorité plus large que les rapports d'activité et d'orientation [2].

Assurément ces débats ouverts et ces scrutins parfois serrés témoignent de la vitalité de l'organisation. Ils ont, en revanche, le double inconvénient de mobiliser les militants de façon excessive et de les enfermer dans la contemplation de leur propre univers.

La stabilité des dirigeants

La capacité de renouvellement des dirigeants constitue un des critères possible d'appréciation du caractère démocratique d'une organisation. Assurément l'instabilité n'est pas synonyme de démocratie, mais à l'inverse, l'immobilisme est générateur de bureaucratie et de perte de sens des responsabilités des adhérents. Il n'y a pas de critères absolu de l'optimum démocratique entre le renouvellement total des dirigeants, chaque fois que leur mandat arrive à expiration et la reconduction systématique jusqu'à leur démission volontaire, à l'âge de la retraite et parfois au-delà, comme c'est l'usage dans les syndicats américains. En France, l'absence d'alternance politique entre 1958 et 1981 a conduit les partis de gauche et les syndicats à privilégier le changement d'équipes dirigeantes comme une manifestation importante de la vie démocratique.

Dans l'ensemble le renouvellement des instances dirigeantes est lent dans toutes les confédérations syndicales, particulièrement au niveau le plus élevé : bureau confédéral à la CGT et à FO, commission exécutive à la CFDT.

La CFDT est la confédération pour laquelle la rotation des élus est la plus rapide, quelles que soient les instances. Toutefois, les changements intervenus au moment de la déconfessionalisation [3] expliquent cette spé-

---

1. En 1963, de même, un premier projet sur l'organisation est repoussé par 63,8 % contre 35,1 % des voix.

2.

	Pour	Contre	Abstentions
Rapport d'activité	56,7 %	31,03 %	12,20 %
Charte financière	68,0 %	22,00 %	10,00 %
Rapport d'orientation	63,4 %	27,00 %	9,30 %

3. Les changements de dirigeants dans les organismes directeurs sont intervenus essentiellement entre 1957 et 1963. La scission de 1964 ne s'est donc traduite par aucun départ des responsables nationaux car les sécessionnistes avaient déjà été écartés des postes de direction.

cificité autant que le brassage quelque peu involontaire et incontrôlé intervenu après les événements de 1968.

Au niveau des commissions exécutives de FO et de la CGT, ce sont les dirigeants de FO qui restent en place le plus longtemps tandis que pour les bureaux confédéraux les dirigeants de la CGT détiennent le record de longévité :

— pour les commissions exécutives (bureau national à la CFDT), le nombre moyen des mandats varie de 2,6 à la CFDT, à 3,4 pour FO et 2,8 pour la CGT, soit une durée de 6,2 années dans le premier cas, de 7,8 dans le deuxième et de 6,7 dans le troisième [1].

— les membres du bureau confédéral (commission exécutive à la CFDT) restent en moyenne 9,1 années en fonction à la CFDT, 10 années à FO et 12 à la CGT, soit respectivement 3,8 mandats, 4,4 et 5.

C'est donc au sommet que la durée des mandats est la plus longue et le renouvellement le plus faible.

Si, à la CGT, on compte la présence de certains militants dans les instances dirigeantes avant la scission de décembre 1947, on observe une durée encore plus longue : Benoît Frachon, responsable de la CGTU avant la réunification de 1936, est demeuré à un poste de dirigeant pendant plus d'un tiers de siècle : il a été secrétaire général de la CGT de 1946 jusqu'en 1967, puis président jusqu'en 1975.

Toutefois, depuis 1975, la CGT semble accélérer la rotation des présences : la commission exécutive a été largement renouvelée au fur et à mesure que ses effectifs étaient portés de 35 à 131. En 1973, 34 nouveaux membres ont été élus sur un total de 93, 30 en 1978. En 1982, on dénombre 59 nouveaux arrivants sur 131 (soit 45 %). Pour le bureau confédéral dont les effectifs d'abord stabilisés à 16 sont passés à 18 en 1982, le congrès de 1978 a désigné 4 nouveaux élus et le précédent 5, signe d'une politique manifeste de rejeunissement. Surtout la démission de quatre membres de bureau confédéral de la CGT en 1981 (Jacqueline Lambert, Jean-Louis Moynot, René Buhl, Christiane Gilles) s'ajoutant à trois départs « naturels » (André Allamy, Livio Mascarello et Georges Seguy) a provoqué un profond renouvellement de cette instance en 1982.

---

1. Pour toutes les confédérations, il faut évidemment tenir compte du fait que les calculs sont effectués de date à date, donc en incluant des responsables nouvellement nommés pour lesquels un seul mandat est comptabilisé. Cette statistique a été établie sur la période allant de 1947 à 1981 pour la CGT et FO et de 1955 à 1981 pour la CFDT, compte tenu d'une modification importante des structures.

Quelle que soit leur politique, les confédérations se heurtent au fait que les dirigeants syndicaux nationaux n'ont souvent pas d'autre perspective professionnelle que celle de poursuivre leur fonction de militant dans le mouvement syndical. Dans le secteur public, les détachements permettent plus facilement la réintégration mais cette facilité juridique se heurte à de nombreux obstacles psychologiques et matériels. Parfois les pouvoirs publics marquent la cordialité de leurs rapports avec l'une ou l'autre des confédérations en nommant un de leur dirigeant à un poste honorifique. Cette pratique limitée demeure soumise à la discrétion du gouvernement et concerne peu la CGT [1]. Fait unique dans l'histoire de la CFDT, deux des dix membres de la commission exécutive (Jeannette Laot et Hubert Lesire Ogrel) ont anticipé leur départ prévu pour le congrès de 1982 au moment de la constitution du gouvernement Mauroy pour rallier, avec l'accord de leur confédération, un poste de conseiller à la Présidence de la République pour la première, de chargé de mission auprès du ministre de la Solidarité pour le second [2]. Un troisième, Michel Rolant, a pris la présidence de l'Agence française pour la maîtrise de l'énergie. Depuis Mai 1981 ce sont surtout les opposants à la ligne officielle de la CGT qui ont bénéficié de mesures discrètes de reclassement.

La rareté des possibilités de reclassement qui freine l'accession des plus jeunes aux responsabilités n'explique pas, à elle seule, la durée moyenne des mandats, bien inférieure en France à celle de la plupart des syndicats européens et américains. Les modes de scrutin, surtout là où les adhérents de base ne choisissent pas eux-mêmes leurs dirigeants nationaux, accentuent cette pratique qui, en raison de son universalité, apparaît comme une constante de tous les types de démocratie syndicale. Les organisations syndicales sont partout des sociétés fermées que l'on quitte difficilement lorsqu'on a atteint un niveau élevé de responsabilité.

VI - Un système figé ?

Les syndicats affirment parler au nom de la classe ouvrière et de tous les travailleurs. Leurs structures et leur mode de fonctionnement les autorisent-ils à tenir ce langage ?

---

1. Laurent Lucas, ancien président de la CFDT a été nommé, par exemple, conseiller social à l'ambassade de Madrid. André Heurtebise, membre du bureau confédéral de Force ouvrière, a été nommé conseiller d'État en service extraordinaire en 1979, comme l'avaient également été Maurice Bouladoux ou Gaston Tessier (anciens présidents de la CFDT) ou Robert Bothereau (ancien secrétaire général de FO).
2. Un ancien militant de la CFDT avait accepté un poste de conseiller technique chez le secrétaire d'État à la revalorisation du travail manuel dans le gouvernement de Raymond Barre mais il avait été désavoué par la CFDT.

Faut-il rappeler une évidence? Les syndicats sont des associations volontaires. Leur exemplarité démocratique ne tient pas au nombre de leurs adhérents car l'adhésion dépend de bien d'autres facteurs que leur efficacité à défendre les intérêts de leurs membres (voir chapitre 2). Comme toute organisation, le syndicat est un lieu d'affrontement entre des pouvoirs. L'enjeu de son fonctionnement est simple. Il se résume à une question: qui commande? La structure syndicale, du point de vue de son fonctionnement, doit être analysée, non comme le support technique d'une action dirigée vers l'extérieur, contre l'employeur, mais comme un moyen d'encadrement de la collectivité des travailleurs.

L'adhésion n'est qu'un moyen parmi d'autres d'acquérir une légitimité dans cette volonté de contrôle du «bas» par le «haut». A la limite, le caractère démocratique d'un syndicat doit être recherché dans la capacité de la base à contester le pouvoir des dirigeants. Mais, contrairement aux thèses «basistes», spontanéistes ou gauchistes, toute contestation minoritaire des directions syndicales n'est pas démocratique par elle-même. Les groupuscules n'incarnent pas la démocratie pour la seule raison qu'ils critiquent le formalisme et la bureaucratie syndicale.

L'impossible réforme des structures professionnelles

Le syndicalisme français est fondamentalement une association de producteurs. Son idéal démocratique est inséparable d'une participation à la vie économique. On acquiert une identité syndicale à condition d'être un salarié actif et de relever d'une profession aux contours bien définis. Les chômeurs, les retraités, les jeunes — tous les exclus de la population active — ainsi que ceux qui possèdent un statut inhabituel (les intérimaires, les travailleurs à temps partiel, par exemple), demeurent des marginaux du syndicalisme parce qu'ils s'insèrent difficilement dans ses cadres traditionnels.

Les retraités, par exemple, les seuls à être organisés en «fédération» n'ont longtemps siégé qu'avec voix consultatives dans les instances de direction. Toutefois, en 1982, CGT et CFDT ont réformé leurs statuts et accordé une pleine connaissance à leurs organisations de retraités. A la CFDT la proposition n'a été adoptée qu'à une très faible majorité car certaines organisations — surtout parmi les plus critiques à l'égard de la direction confédérale — demandaient que les retraités continuent à relever de leurs professions d'origine.

Dans la fonction publique, les vacataires, les contractuels, les intérimaires ne sont défendus que lorsque leurs intérêts ne heurtent pas ceux des fonctionnaires titulaires.

Sans doute est-il difficile d'imaginer des modes de regroupements cohérents et qui échapperaient aux classifications habituelles par branche d'activité. Mais l'extension du champ d'activité du syndicalisme conduit à s'interroger sur la pertinence de schémas de représentation fondés sur les critères de la vie au travail, elle-même conçue dans le cadre de structures industrielles stables et de statuts professionnels permanents. Le paradoxe est que le regroupement des salariés en fonction des branches d'activité, qui ne répondent à aucune logique économique ou sociale satisfaisante, se révèle, en définitive, la moins mauvaise des solutions envisageables.

En effet, les classifications économiques de l'INSEE ne permettent guère d'établir des unités rationnelles de négociation parce qu'elles recouvrent souvent sous une même rubrique des activités hétérogènes. Ainsi le regroupement autour de la fonction « Transports » éclate-t-il en une multiplicité de sous-secteurs dont les technologies, les modes d'organisation, les contraintes financières et commerciales ou les statuts juridiques ne possèdent guère de points communs. De même la branche « Énergie » recouvre la production et la distribution de toutes les sources d'énergie : charbon, pétrole, gaz, électricité, nucléaire, sans compter les énergies « douces »... Dans bien des cas, les frontières tranchées entre la chimie et la métallurgie perdent de leur netteté.

L'unité autour d'une matière première ou d'une gamme de produits n'aboutit pas, non plus, à des ensembles homogènes tant les diversifications peuvent être considérables : les sous-produits et dérivés du pétrole ou du charbon, par exemple, se retrouvent dans presque toutes les activités industrielles. Malgré les similitudes certaines dans les procédés de tissage ou la commercialisation, le textile ne représente pas un ensemble cohérent tant l'origine des matières premières utilisées repose sur des marchés commerciaux et des technologies de première élaboration différentes. La logique de diversification des grands groupes industriels démontre d'ailleurs combien une production de départ peut conduire à des activités relevant de branches fort éloignées les unes des autres.

A l'inverse, une segmentation autour d'une technique — dans la mesure où elle est possible — conduirait à un découpage rompant toute unité des entreprises et des branches en privilégiant un seul élément d'identification. Inadapté sur le plan de l'analyse économique, un tel découpage n'est cependant pas absurde du point de vue social : ce n'est pas autre chose que celui du syndicalisme de métier dans les pays anglo-saxons. L'éclatement des entreprises en une multitude d'unités catégorielles de négociation, l'impossibilité de déboucher sur des regroupements cohérents à une échelle plus vaste présentent, cependant, plus d'inconvénients que la situation française.

Au total, comme le suggère Jean-Daniel Reynaud, l'effort de rationalisation n'est pas la caractéristique majeure des politiques syndicales d'organisation : «Il serait temps de s'interroger plus systématiquement sur ce qui constitue un groupe de salariés suffisamment solidaires pour créer une organisation syndicale et entreprendre une activité commune. Il est peut-être naïf d'imaginer que la «bonne» organisation est nécessairement celle qui correspond à une unité de marché ou de produit et il faudrait rechercher comment se constituent, se maintiennent, se développent ou se transforment les communautés pertinentes de l'action collective [1].»

En sens inverse, on peut cependant se demander si ce relatif émiettement syndical français ne freine pas indirectement la naissance des organisations catégorielles. Dans tous les pays de l'Europe du Nord (Scandinavie, Pays-Bas...) en effet, un des traits caractéristiques du développement syndical est l'essor des organisations autonomes et la coupure entre ouvriers et employés, entre secteur privé et fonction publique, entre diplômés et non diplômés. La multiplication de syndicats propres à une catégorie d'emploi explique que parfois le nombre total de fédérations dépasse notablement celui de la France même là où la négociation de branche ne joue qu'un rôle secondaire.

En s'organisant autour de deux axes, l'un professionnel, l'autre géographique (progressivement identifié avec les circonscriptions administratives) le syndicalisme avait conféré une portée opérationnelle à un schéma presque simpliste de représentation des communautés de travail. Aujourd'hui ce schéma craque, à la fois parce que ces communautés se sont diversifiées et ne se définissent plus seulement par le métier ou la branche d'activité, et parce que les syndicats entendent élargir leur action à des domaines plus vastes que les problèmes du travail. L'écart grandissant entre le *projet* syndical, la *diversification* des clientèles d'une part et l'*immobilisme* de structures simplistes d'autre part constitue sûrement un problème majeur pour l'avenir du syndicalisme.

Les spécificités du modèle syndical de démocratie

Les syndicats manifestent tous quelque méfiance à l'égard de la forme la plus traditionnelle de la démocratie politique : l'élection au suffrage

---

1. Jean-Daniel Reynaud, «Problèmes et perspectives de la négociation collective dans la communauté», document ronéoté, 1978, p. 121.

universel. Sauf à la FEN où les adhérents élisent directement leurs dirigeants, plusieurs filtres existent entre les organismes directeurs des confédérations et les adhérents : à Force ouvrière seuls les responsables de fédérations et d'unions départementales disposent des pouvoirs de désignation. A la CGT, le congrès vote mais après un contrôle *a priori* vigilant de l'appareil. A la CFDT, le congrès dispose d'une plus grande marge de choix (le nombre de candidats est supérieur à celui des postes à pourvoir) mais l'essentiel demeure : le pouvoir d'initiative n'appartient pas à la base. Tout au plus dispose-t-elle du droit d'amender les choix qui lui sont proposés.

Cette défiance n'a-t-elle pas pour racine la tendance permanente à la croissance de la bureaucratie syndicale ? Déjà les Webb à la fin du XIXe siècle avaient observé l'assimilation progressive des permanents syndicaux aux classes moyennes. De même, à l'âge d'or du mouvement social démocrate germanique avant la première guerre mondiale, on avait observé une contradiction entre l'idéologie profondément égalitariste et l'embourgeoisement des cadres du mouvement. Dès 1912 Robert Michels n'avait-t-il pas formulé sa loi d'airain de l'oligarchie, démontrant que, derrière les règles formelles de la démocratie politique ou syndicale, se forme inéluctablement une caste bureaucratique [1]. Sous une forme différente n'est-ce pas aussi le même phénomène qui se développe avec ce que Georges Lavau appelle «l'adhésion d'imprégnation [2]» ? L'adhésion — au parti ou au syndicat — est presque naturelle dans certaines familles ou milieux professionnels : elle est «intuitive et existentielle». Dès lors les signes de reconnaissance et de légitimation, internes au milieu et souvent implicites, n'ont-ils pas tendance à tenir lieu de règles de démocratie ?

En fait, la sévérité des jugements à l'égard de la démocratie syndicale repose sur une analogie implicite avec la démocratie politique. Or elles ne sont pas de même nature. Le système politique est de type individualiste. La démocratie dont se réclame le syndicalisme est dite «de masse». Ce n'est pas l'individu qui s'exprime dans la solitude de l'isoloir mais la collectivité à laquelle il appartient, ce qui n'exclut pas le vote à bulletin secret. la citoyenneté syndicale s'exprime à travers le syndicat et non directement. Les structures fédérales, régionales, confédérales sont démocratiques au deuxième degré. Elles s'apparentent plus au mode

---

1. Robert Michels, *Les Partis politiques. Essais sur les tendances des démocraties* (traduction de l'allemand), Paris, Flammarion, 1919.
2. Georges Lavau, *A quoi sert le Parti Communiste français ?*, Paris, Fayard, 1981, p. 104.

d'élection du Sénat qu'à celui de l'Assemblée nationale. Et, finalement l'organisation la plus logique est Force ouvrière, puisque chez elle la primauté des structures confédérées par rapport à la confédération est un point de doctrine fondamental.

Aucune organisation ouvrière n'a jusqu'à présent abordé de front le problème de la technocratie syndicale, c'est-à-dire des permanents ou des experts ne disposant d'aucun mandat électif.

En principe, toute décision est le fait d'un élu mandaté par le collectif qui en a délibéré. L'expert n'est qu'un consultant. La pratique est moins simple car, de plus en plus, la motion cède la place au dossier technique. Les services juridiques de toutes les confédérations disposent d'une large autonomie tant le droit est une affaire de professionnels. Mais n'en est-il pas de même, à un moindre degré, dans tous les secteurs de la vie syndicale?

Aussi les confédérations et parfois même certaines fédérations disposent-elles de plus en plus des services des permanents-experts, dépourvus de mandats ou plus exactement, élus postérieurement à leur nomination à un poste. Aux dirigeants émanant de la base se mêlent ceux qui ont accédé à des responsabilités à la suite de leur embauche par une organisation en fonction de critères de compétence, appuyés par quelques manifestations d'appartenance à la famille idéologique ou spirituelle dans laquelle baigne l'organisation.

Le militantisme dans le syndicalisme étudiant, l'appartenance aux mouvements de jeunesse ou d'action catholique ont longtemps dans le passé constitué de bonnes introductions pour devenir salariés de telle ou telle organisation. Aujourd'hui le passage par l'École nationale d'administration constituerait sans doute un atout plus solide, au moins pour influencer discrètement l'appareil des confédérations: les bureaux d'études syndicaux permettent souvent à des fonctionnaires d'apporter une compétence discrète mais réelle au service des syndicats tout en les influençant sérieusement [1]. Dans un mouvement syndical encore pétri d'anarcho-syndicalisme et de méfiance anti-intellectuelle, les mauvais scores obtenus parfois par certains permanents devenus élus n'ont d'autre explication que la critique implicite contre leur absence de passé militant et ouvrier.

---

1. La CFDT fournit un exemple significatif mais unique d'interpénétration: M. Hubert Prévot, administrateur civil du ministère de l'Économie et des finances a bénéficié d'un détachement au service du secteur économique de la CFDT avant d'être nommé commissaire général du Plan. Dans le passé Jacques Delors a apporté son concours au service économique de la CFDT.

Au total, comme le note une analyse de la CFDT : « Les débats sur les structures sont toujours véritablement politiques, ceci pour deux raisons : à la fois parce que les structures définissent les lieux de pouvoirs internes d'une organisation, et surtout parce que les structures déterminent en grande partie les orientations et les moyens d'actions [1]. »

L'importance de l'enjeu explique aisément que les directions confédérales ne puissent s'en remettre à la spontanéité de la base pour la détermination de leurs choix majeurs. Tout leur problème est d'apprécier jusqu'à quel point elles doivent admettre le développement d'un contrepouvoir interne. De toutes les grandes organisations politiques et sociales, les syndicats possèdent le système de fonctionnement le plus stable et le plus formalisé : les règles établies sont connues de tous et ne souffrent pas d'exception. L'inconvénient est évidemment la lourdeur et le risque de coupure avec la base. En revanche, il n'est pas négligeable pour la démocratie qu'un groupe social applique scrupuleusement les règles qu'il s'est fixées. Même si leurs choix doctrinaux conduisent les syndicats à souhaiter une société différente, leur organisation interne et les règles de fonctionnement leur confèrent un rôle déterminant dans la stabilité de la société française.

En définitive, la notion de « démocratie syndicale » a-t-elle un sens pour des associations volontaires avec des gouvernements « privés » ? Si on admet que les syndicats français tendent de plus en plus à bénéficier d'un monopole de représentation des salariés dans tous les aspects de leur vie sociale, peut-être vaut-il la peine de considérer comme pertinentes les analyses menées dans des pays comme les États-Unis où l'adhésion syndicale revêt souvent un caractère obligatoire ; n'est-il pas dès lors légitime d'assimiler le gouvernement d'un syndicat à celui d'un État et d'exiger de lui, qu'il respecte, par exemple, les quatre critères de la démocratie tels que les a énumérés Peter Magrath [2] :

— objectifs politiques généraux conformes aux aspirations de la majorité des membres de la communuté ;

— responsabilité des dirigeants devant leurs mandants ;

— existence d'une opposition continue et institutionnalisée ;

---

1. « Le Contenu politique des structures syndicales » in *CFDT aujourd'hui,* mai-juin 1975, p. 4 à 16.
2. Peter C. Magrath, « Democracy in overalls : the futile quest for union democracy », *Industrial and Labor Relations Review,* vol. 12, 4 juillet 1959. Sous une forme différente Michel Crozier reprend une énumération comparable dans sa contribution « Sociologie du syndicalisme », *Traité de sociologie du travail,* de Georges Friedmann et Pierre Naville, Paris, A. Colin, 1962, tome 2, p. 180/181.

— garantie des droits individuels fondamentaux (droit de voter, de critiquer et d'agir).

Sous une apparente banalité, cette énumération — bien d'autres pourraient être proposées — a le mérite de rappeler que la légitimité syndicale ne peut reposer seulement sur la conviction séculaire de représenter une classe sociale investie d'une mission historique. Peut-être aussi invite-t-elle à aller au-delà des affirmations traditionnelles des confédérations comme la CGT qui dans le préambule de ses statuts condamne «la constitution d'organismes agissant dans les syndicats comme fraction...» au nom du «jeu *normal* de la démocratie». Reste en effet simplement à définir ce qui est a-normal.

2. Le réseau traditionnel du pouvoir syndical

I - Les différents critères de l'adhésion

La France passe pour posséder un faible taux de syndicalisation. Pendant longtemps les confédérations syndicales n'ont rien fait pour démentir cette assertion : déclarations fausses, ambiguës, imprécises ont persuadé l'opinion de l'incapacité des syndicats à recruter durablement des adhérents.

En principe l'adhérent est celui qui non seulement signe un bulletin d'adhésion mais acquitte régulièrement une cotisation composée traditionnellement d'une carte annuelle (mais à la CFDT la carte est valable plusieurs années et depuis 1982 la CGT a décidé la mise en place d'un « carnet pluriannuel » remis gratuitement à chaque adhérent ce qui devrait permettre de comptabiliser davantage d'adhérents...) et d'un timbre mensuel. La différence est importante entre les totalisations sur les bulletins d'adhésion et sur les cotisations. Compte tenu des recrutements en cours d'année, des interruptions d'adhésion liées à la mobilité de l'emploi ou des démissions, il est de tradition de considérer que l'adhérent réel, le cotisant, paie en moyenne huit timbres par an [1].

Avec des mécanismes différents, chaque confédération est souvent victime d'une cascade de rétentions de cotisations de la part de l'adhérent, du syndicat ou de la fédération qui diffèrent le paiement des som-

---

1. Par la suite, on distinguera « l'adhérent » du « cotisant ».

mes dues à leur confédération [1]. Dans la pratique l'écart n'est pas négligeable entre les cartes placées et les cotisations réellement comptabilisées au niveau confédéral.

Dans leurs évaluations, les confédérations incluent parfois les retraités. Cet usage serait légitime s'il était constant et mentionné explicitement, car ceux-ci ne paient que des cotisations réduites et leur adhésion ne revêt pas la même signification.

Sauf à la CFDT, les informations fournies par les confédérations sur leurs effectifs demeurent floues ou irrégulières. Parfois seul un pourcentage d'évolution est indiqué. Parfois le nombre des nouveaux adhérents de l'année est donné sans rappeler les non-renouvellements d'adhésion ; or à la CGT le taux annuel « d'évaporation » oscille entre 15 à 20 % du total des adhérents. Parfois, plus simplement, les chiffres fournis ne distinguent pas entre cotisants réguliers et signataires d'un bulletin d'adhésion. Certaines organisations, notamment à la CGT et à FO, pratiquent d'ailleurs aussi une politique de faibles cotisations. A la CFDT, au contraire, les cotisations sont plus élevées sans atteindre, dans la plupart des cas, le niveau des autres pays européens où elles sont de l'ordre de 1 % du salaire. La CGT s'est d'ailleurs fixé cet objectif de 1 % [2].

L'analyse des mandats ou des comptes financiers à l'occasion des congrès confédéraux permet de mesurer les distorsions éventuelles entre les déclarations officielles et la réalité [3]. Encore faut-il envisager que les dirigeants confédéraux, parfaitement conscients de la possibilité de ces recoupements de l'information, rédigent leurs rapports financiers en conséquence... (voir tableau de comparaison en annexe 2).

II - Une évaluation partielle de l'influence syndicale

20 à 25 % de syndiqués

Selon les déclarations — officielles ou officieuses — des confédérations, le total des adhérents atteindrait environ 4 700 000, retraités non

---

1. A la CFDT, un service central de perception et de ventilation des cotisations reçoit directement les cotisations des collecteurs. Il retransmet ensuite aux fédérations et unions départementales la part qui leur revient. A Force ouvrière et à la CGT les cotisations transitent par les fédérations. La CGT, de plus, a prévu une cotisation spéciale, beaucoup plus faible, pour les « sans emploi ». Elle est perçue par l'union départementale.
2. « Sans attendre les décisions du congrès, il nous paraît indispensable d'intensifier dès aujourd'hui la bataille pour les 1 % », rapport au comité confédéral national de Ernest Deiss, *le Peuple* n° 1086, 1/15 juin 1980, p. 41. Lors du congrès de 1982 cet objectif a encore fait l'objet d'incitations pressantes de la part de la direction confédérale.
3. Toutefois, avant 1964, la CFDT utilisait un « coefficient multiplicateur » pour faire coïncider le nombre des mandats de chaque syndicat avec les déclarations officielles d'adhérents.

compris, soit un taux de syndicalisations de l'ordre de 26,5 % :

- CGT	1 634 000	(1980 : déclaration officielle)
- CFDT	963 000	(1980 : déclaration officielle)
- FO	900 000	(déclaration officieuse)
- CFTC	260 000	(déclaration officieuse)
- CGT	250 000	(estimation)
- FEN	560 000	(estimation)
- Divers	150 000	(estimation)

4 717 000   (chiffres de 1979/1980) [1]

En ne retenant que les cotisants réguliers payant de 8 à 10 timbres, le total oscillerait vraisemblablement autour de 3 800 000, soit un taux de syndicalisation de 22 %. Ainsi la CFDT indique, pour 1980, 740 940 cotisants réguliers pour 963 220 adhérents, soit une différence du quart environ.

Suivant le critère retenu, entre un cinquième et un quart des salariés possède une carte syndicale. Au regard des pays étrangers ce taux peut apparaître faible :

TABLEAU IV - TAUX DE SYNDICALISATION PAR PAYS

Pays	%	Pays	%
• Finlande	80	• Grande-Bretagne	50
• Danemark	70/75	• Luxembourg	50
• Belgique	71	• Allemagne fédérale	43
• Suède	70	• Pays-Bas	43
• Autriche	60	• Japon	31
• Irlande	55	• États-Unis	21
• Italie	50		

Sources : «Exposé sur l'évolution de la situation sociale dans la Communauté en 1976», Bruxelles, CEE, (pour la Grande-Bretagne, la Belgique, le Danemark, l'Irlande, le Luxembourg, l'Italie) avril 1977 ;
Bureau des statistiques de travail, US Department of labor, 1981 (États-Unis) ;
Der Arbeitgeber, 25 mai 1979 (Allemagne) ;
Japan Labor Bulletin, mars 1981 (Japon) ;
UIMM, Documentation étrangère, n° 360, février 1979 (Finlande), n° 368, novembre 1979 (Pays-Bas) et juin 1980 (Autriche).

---

1. Voir en annexe 2 les sources syndicales sur les effectifs. Selon différents témoignages concordants (sources privées) les chiffres seraient manifestement gonflés pour la CGT et FO qui ne compteraient respectivement pas plus de 1 300 000 et 600 000 adhérents. Pour cette dernière les résultats aux élections professionnelles (voir chapitre suivant) semblent effectivement indiquer que les effectifs sont majorés dans les déclarations officielles.

En fait, pour être pertinente, la comparaison devrait prendre en compte trois séries de facteurs également déterminants :

• *La taille de l'entreprise :* l'adhésion ne correspond pas à une inclinaison abstraite, en dehors des structures industrielles et de la vie sociale. Le syndicalisme est fondamentalement un phénomène de masse, une volonté collective. Il ne se développe réellement que là où existent des institutions de représentation, un minimum de négociations collectives et des entreprises d'une certaine taille. Si on retient le seuil des entreprises de plus de 10 salariés et si on élimine un certain nombre de catégories (travailleurs à domicile, apprentis sous contrat, salariés d'un parent, fonctionnaires civils et militaires ne disposant pas du droit de se syndiquer) un peu plus de 2 millions de salariés doivent être soustraits du total des syndicalisables. Le taux de syndicalisation oscille alors entre 25 % et 30 % suivant le critère retenu. La taille moyenne des établissements français est d'ailleurs plus faible que celle des pays étrangers industriels [1].

• *La syndicalisation n'a pas la même signification suivant les secteurs.* Le paiement même irrégulier d'une cotisation par l'adhérent soumis à la pression de son employeur est sans commune mesure avec «l'assurance-carrière» que constitue l'adhésion chez certaines catégories d'enseignants ou d'agents des collectivités locales.

• Surtout *l'adhésion dépend partout d'un ensemble d'incitations et de contraintes.* Dans les pays anglo-saxons, le monopole syndical s'accompagne souvent de dispositions de *closed shop* ou d'*union shop.* Les clauses — réglementaires ou contractuelles — de paix sociale ont pour contrepartie le contrôle de l'emploi par les syndicats : comment faire respecter l'engagement syndical si tous les salariés ne sont pas syndiqués ? En Belgique, où certaines conventions collectives réservent des avantages aux seuls syndiqués, les employeurs jugent qu'il est de leur intérêt que le maximum de salariés soit syndiqué.

Dans ce même pays, les allocations de chômage sont versées directement par les syndicats qui se font rembourser ensuite par les pouvoirs publics. En Allemagne, tous les salariés savent que le DGB possède des banques susceptibles de leur consentir des prêts et gère des entreprises de

---

1. Selon une enquête effectuée auprès de 1 400 000 entreprises occupant plus de 11 millions de salariés (enquête effectuée à partir des déclarations fiscales couvrant l'ensemble des entreprises non agricoles, à l'exception des services et des entreprises exonérées d'impôts sur les bénéfices comme les coopératives, le total des salariés occupés dans les entreprises de moins de 10 est de 1 427 400. (Voir Renaud Brocard et Jean-Marie Gandois «Grandes entreprises et PME». *Économie et Statistique*, janvier 1978. D'autre part, en 1981, les salariés agricoles étaient 290 000, les salariés d'un parent 81 000, les apprentis sous contrat 171 000, les travailleurs à domicile 37 000, les militaires et les policiers environ 350 000.

construction pour les aider dans l'acquisition de logements (voir chapitre de conclusion).

L'intérêt individuel et l'action collective

Mancur Olson a bien montré que l'existence d'un intérêt collectif ne suffisait pas pour assurer une action collective [1]. Dans tous les pays occidentaux, l'adhésion au syndicat dépend soit :

• *Du rôle qu'il joue dans la carrière des salariés.* Dans le secteur public — notamment dans les entreprises nationalisées à statut et chez les enseignants — le haut niveau de syndicalisation n'est pas séparable du contrôle exercé par les syndicats sur les carrières individuelles, (promotions, mutations...). Consultatif en droit, le pouvoir syndical est souvent plus étendu, surtout là où une organisation domine largement toutes les autres.

• *Des services particuliers qu'il rend aux individus.* En France, cette conception de l'action syndicale est peu développée et même suspecte aux yeux des militants, qui estiment que la vocation du syndicat n'est pas la gestion de services surtout si ceux-ci sont proches du secteur de l'économie marchande. Les cas de la MAIF (assurance automobile) et de la CAMIF (achats par correspondance) chez les enseignants font un peu figure d'exception [2]. Bien qu'assurés par des syndicalistes, ces services ne sont d'ailleurs pas réservés aux seuls syndiqués.

• *Des contraintes exercées en faveur de la syndicalisation.* Elles peuvent être directes (c'est le cas en France dans le livre et chez les dockers) ou liées à une pression sociale diffuse comme dans le cas des pays scandinaves : la syndicalisation y résulte moins d'une obligation que d'une certaine conception de la vie sociale.

---

1. Voir Mancur Olson, *Logique de l'action collective,* Paris, P.U.F., 1978. Dans sa préface à cet ouvrage, Raymond Boudon écrit : «... tant qu'une organisation fournit exclusivement des biens qui, comme les augmentations de salaires, bénéficient à tous une fois qu'ils sont produits, personne n'a intérêt à payer le prix correspondant à l'acquisition de ces biens. Cette proposition [de Mancur Olson] explique que les taux de syndicalisation puissent être bas, même dans le cas où l'action syndicale est d'une efficacité peu douteuse.»

2. Les œuvres sociales du comité d'entreprise ne correspondent pas exactement à cette idée d'un service individuel rendu par les syndicats : le financement du comité est assuré par l'entreprise, les services ou prestations sont donc ouverts à tous les salariés. Par ailleurs, les élus du comité d'entreprise, même syndicalistes, tendent généralement à distinguer leur fonction élective de leur mandat syndical, du moins pour la gestion des œuvres sociales, devenues activités sociales et culturelles depuis les lois Auroux de 1982.

Mis à part les deux cas précités, la France est un des pays où la pression en faveur des syndicats est la plus faible. Son taux de syndicalisation est de ce point de vue remarquablement élevé...

Au total, malgré le bouleversement du paysage industriel et social depuis un demi siècle, le taux de syndicalisation de ± 25 % apparaît à François Sellier comme «une norme structurelle du système social français», bien que les écarts par rapport à cette moyenne soient fréquents et d'ampleur non négligeable à certaines périodes : ainsi en 1920/21 le taux de syndicalisation atteint 38 % pour chuter à 9,5 % en 1930/31 et remonter à 45 % en 1936. De même après avoir culminé à 50/60 % en 1946, il s'abaisse à 23 % en 1954 et 17,3 % en 1962 pour se stabiliser à 25 % en 1972 [1].

L'apport des sondages d'opinion

Au cours des récentes années plusieurs sondages ont abouti à des estimations légèrement supérieures. Interrogés sur leur appartenance à un syndicat, une part non négligeable de salariés répond de bonne foi par l'affirmative, soit parce qu'ils ont été récemment syndiqués, soit parce qu'ils votent pour un syndicat, soit parce qu'ils suivent ses consignes. Les résultats des principales enquêtes rendues publiques sont détaillées dans le tableau V.

La comparaison entre ces données est aléatoire, non seulement parce qu'elles portent sur des catégories différentes analysées sur une période de douze années (les deux enquêtes IFOP de 1969 et 1978 sur les ouvriers sont très convergentes puisque les taux de syndicalisation sont identiques et les distributions entre les confédérations très voisines) mais également parce que la taille et la qualité des échantillons sont parfois contestables : ainsi l'enquête IFOP-*l'Expansion* (échantillon de 1 000 personnes représentatives de la population âgée de 18 ans et plus) porte sur un nombre de salariés trop faible pour que les pourcentages de syndiqués observés soient considérés comme fiables. De façon générale toutes les informations chiffrées extraites des sondages et relatives aux syndiqués sont à considérer comme de simples ordres de grandeur.

D'un point de vue qualitatif, cependant, la constante de certains résultats autorise quelques hypothèses sur le profil des syndiqués. Pour

---

1. François Sellier, *les problèmes du travail en France 1920-1974*, Genève, rapport au 4e Congrès mondial de l'AIRP, 1976, document ronéoté.

TABLEAU V – SYNDICALISATION SELON LES CATÉGORIES ET LES CONFÉDÉRATIONS

Catégorie concernée	Ouvriers (1)	Ouvriers (2)	Ouvrières et employées (3)	Jeunes ouvriers et ouvrières (4)	Cadres (5)	Salariés (6)	Salariés (7)
– Non-syndiqués	– 68 %	– 63 %	– 75,9 %	– 76 %	– 71,6 %	– 67 %	– 73 %
– Syndiqués	– 31 %	– 31 %	– 22,6 %	– 20 %	– 25,4 %	– 33 %	– 26 %
dont CGT	20 %	22 %	11,6 %	14 %	2,6 %		
CFDT	5 %	6 %	5,8 %	4 %	2,8 %		
FO	2 %	2 %	2,4 %	1 %	2,0 %		
CFTC	1 %	–	0,5 %	–	0,8 %		
Autres syndicats (dont CGC)	3 %	1 %	2,3 %	1 %	17,2 % (CGC 12,3 %)		
– Sans-réponse	– 1 %	– 6 %	– 1,6 %	– 4 %	– 2,5 %		– 1 %
	100 %	100 %	100,0 %	100 %	100,0 %	100 %	100 %

Sources :
1. Gérard Adam, Frédéric Bon, Jacques Capdevielle, René Mouriaux, *l'Ouvrier français en 1970*, Paris, FNSP, 1971, enquête IFOP auprès de 1 116 ouvriers français.
2. *le Nouvel Économiste*, n° 155, 30 octobre 78, enquête IFOP.
3. « Femmes à l'usine et au bureau », Paris, CGT, 1976, enquête IFOP auprès de 1 931 personnes.
4. « les Jeunes Ouvriers », CGT, 1974, enquête auprès de 1 500 personnes.
5. Gérard Grunberg, René Mouriaux, *l'Univers politique et syndical des cadres*, Paris, FNSP, 1979, enquête auprès d'un échantillon de 1 481 cadres.
6. SOFRES, « l'Image et le rôle des syndicats », octobre et novembre 1979, enquête auprès d'un échantillon de 1 000 personnes représentatif de la population âgée de 18 ans et plus. Parution dans l'*Expansion* du 7/20 décembre 1979.
7. Enquête IFOP auprès d'un échantillon représentatif de 768 salariés français, 16/23 octobre 1979. Parution dans *la Vie*, novembre 1979.

les caractéristiques individuelles, trois facteurs jouent un rôle particulier :

• *Le sexe*

Les femmes passent généralement pour être moins syndiquées que les hommes. L'affirmation est globalement exacte sous réserve de nuances. Dans les enquêtes où la répartition par sexe est indiquée, le taux de syndicalisation des ouvrières est, par exemple, de 28 % contre 33 % pour les ouvriers (enquête parue dans *l'Ouvrier français en 1970)*. Le sondage effectué par l'IFOP pour la CGT en 1976 indique, quant à lui 22,4 % de syndiquées chez les employées et 21,8 % chez les ouvrières. La recherche sur les cadres de Gérard Grunberg et René Mouriaux indique un même taux de syndicalisation chez les hommes et les femmes : 26 %.

Curieusement, les cadres constitueraient donc la seule catégorie où les femmes seraient autant syndiquées que les hommes. Les auteurs de la recherche ne suggèrent aucune explication à ce fait dans leur ouvrage. Ils observent simplement que «les hommes optent davantage pour la CGC [1]».

Enfin le sondage publié par *la Vie* en 1979 donne 19 % de femmes salariées syndiquées pour 30 % d'hommes (taux moyen 26 %).

• *L'âge*

Les plus réservés à l'égard du syndicalisme sont les jeunes et, dans une moindre mesure, les plus âgés, surtout après 60 ans : la syndicalisation est maximum pour la tranche d'âge 35/49 ans. L'enquête de la CGT sur les jeunes ouvriers indique un pourcentage de 20 % de syndiqués chez les 16/24 ans ; celle de la FNSP donne un taux légèrement supérieur, 22 %. Pour les cadres, la syndicalisation va croissante jusqu'à 60 ans, pour diminuer légèrement ensuite. Cette progression s'effectue exclusivement au profit de la CGC.

---

1. Gérard Grunberg et René Mouriaux, «l'Univers politique et syndical des cadres», *op. cit.*, p. 99.

• *La qualification*

Le niveau des qualifications est loin d'être le seul indicateur de la situation professionnelle des salariés. Le métier, le type de diplôme, par exemple, ne sont pas des facteurs d'identification négligeables chez les ouvriers. Curieusement les enquêtes d'opinions sont loin d'être toutes convergentes dans l'appréciation du niveau de syndicalisation de chaque catégorie socio-professionnelle.

Tandis que les deux enquêtes de la *Fondation Nationale des Sciences Politiques* (FNSP, 1969) et du *Nouvel Économiste* (IFOP, 1978) s'accordent sur un taux de syndicalisation de 31 % des ouvriers, les sondages effectués pour *la Vie* (IFOP, 1979) et *l'Expansion* (SOFRES, 1979) indiquent respectivement 22 % et 36 % pour cette même catégorie ainsi que 30 % et 27 % pour les employés et cadres moyens. Quant aux cadres supérieurs les pourcentages varient de 25,4 % (recherche de Gérard Grunberg et René Mouriaux) à 49 % pour le sondage SOFRES-*l'Expansion,* en passant par 34 % dans l'enquête IFOP-*la Vie* (taux moyen : 26 % toutes catégories confondues dans ce dernier cas).

Contrairement à une idée répandue, les employés et cadres moyens sont donc plus syndiqués que les ouvriers (est-ce dû au poids des fonctionnaires dans le groupe ?) comme le suggérait déjà l'enquête de la CGT « Femmes à l'usine et au bureau ».

Cependant, dans certains de ces sondages (IFOP-*la Vie; * SOFRES-*l'Expansion*) les taux de syndicalisation des cadres sont manifestement excessifs. Une pratique contestable des instituts de sondage conduit en effet à regrouper avec les cadres salariés, les commerçants, les professions libérales et les industriels pour lesquels l'appartenance à une organisation syndicale revêt une signification différente. L'étroitesse des effectifs interrogés ne fait souvent qu'ajouter à l'incertitude. L'enquête SOFRES-*l'Expansion* est de ce fait dépourvue de toute rigueur. Celles de la FNSP sur les cadres échappe à ce défaut, mais indique cependant un taux de syndicalisation des cadres supérieur aux estimations les plus optimistes et qui dépasse les chiffres officiellement annoncés par les confédérations. Sans doute les cadres interrogés n'ont-ils pas une conscience très précise de la définition de l'adhérent...

La crise récente du recrutement

Même incomplètes les informations de la CGT et de la CFDT — les seules à présenter des données chiffrées — permettent d'apprécier l'évolution de leurs effectifs. (Voir les données chiffrées et le graphique en annexe 3).

Pour la CGT, cependant, les chiffres antérieurs à 1955/57 doivent être considérés comme dépourvus de toute rigueur : au lendemain de la Libération une vague massive d'adhésions a porté le chiffre des adhérents à environ 4 millions. Comme en 1936, ce gonflement subit a été sans lendemain. La tension internationale, la rupture du tripartisme et de « l'esprit » de la résistance, la dégradation du climat social et surtout la scission avec Force ouvrière en décembre 1947 ont provoqué une chute brutale des effectifs qui n'a jamais été mesurée officiellement. Des raisons évidentes de propagande ont conduit à ne pas reconnaître la vérité en continuant à évoquer « les millions de travailleurs de métropole et d'outre-mer » représentés par la CGT [1].

La CFDT qui indique simplement ses chiffres d'adhérents en 1938 et 1948, ne précise pas ce qu'a été l'évolution jusqu'en 1963 à la veille du congrès extraordinaire de novembre 1964, date de la transformation de l'ancienne CFTC et de la scission avec les partisans du maintien de la référence à la doctrine sociale de l'Église dans les statuts. L'évolution annuelle précise n'est donc mesurable que depuis 1963. Les chiffres fournis par la CGT et la CFDT distinguent les adhérents et les retraités mais ceux de la CFDT introduisent une précision supplémentaire en séparant les adhérents des cotisants.

Sous ces réserves, depuis 1958, l'évolution des effectifs se caractérise ainsi :

• *De 1958 à 1968* une progression lente mais régulière des effectifs pour les deux confédérations. Au total l'instauration de la Ve République et le Gaullisme ont été profitables aux syndicats. Le déclin des partis politiques et le rôle de suppléance que jouent les syndicats, la mutation industrielle de la France et la prospérité économique se conjuguent pour assurer à la CGT et à la CFDT une croissance supérieure à celle du nombre des salariés : tandis qu'entre 1958 et 1968 les salariés augmentent de 15 % (15 200 000 contre 13 200 000) la CGT progresse de 26 % et la CFDT de 32 %, pour la seule période 1961/1968, malgré la scission de

---

1. « Dès 1948 commence une « décrue » qui, d'année en année s'aggrave et dure jusqu'à la Ve République. A partir de 1952 on observe toutefois une augmentation du nombre moyen des timbres mensuels apposés par les adhérents sur les cartes annuelles... La CGT perd non seulement ceux qui ont suivi Force ouvrière et la Fédération de l'éducation nationale mais — en nombre beaucoup plus considérable — des adhérents qui renoncent à se syndiquer. Pour une longue période, le total des adhérents à la CGT, à FO et à la FEN sera notablement inférieur à l'effectif rassemblé par la CGT en 1947 ». Georges Lefranc, *le Mouvement syndical de la Libération aux événements de mai-juin 1968,* Paris, Payot, 1969, p. 79/80.

1964 qui lui fait perdre environ 8 % de ses adhérents entre 1963 et 1965 (entre 50 000 et 60 000 départs) ;

• *Après 1968,* la CFDT continue à progresser jusqu'en 1974, toujours à un rythme plus élevé que celui de l'accroissement des salariés (24 % en 6 ans contre 13 % pour le nombre des salariés), tandis que la CGT stagne en 1969/70 et amorce un recul qui s'accentue après le début de la crise économique de 1974. Ces évolutions non concordantes indiquent l'existence de causes spécifiques à chacune des organisations. Pour la CFDT, la période 1968/74 est dominée par l'emprise des héritiers de mai 1968 qui, toutes obédiences réunies, concourent à donner un visage offensif et contestataire à l'organisation à travers des conflits spectaculaires dont Lip est le plus célèbre. Manifestement la CFDT constitue un pôle d'attraction temporaire pour une masse disparate d'inorganisés, de jeunes militants gauchistes ou simplement d'anciens adhérents de la CGT. Leur arrivée fait plus que compenser les départs — sensibles, par exemple, au «Syndicat général de l'éducation nationale» — d'anciens adhérents peu à l'aise avec l'esprit de mai 1968.

A la CGT, la contestation interne ne se développe guère : le départ de ceux — tel André Barjonet — qui rejoignent l'analyse radicale des trotskistes et des anarchistes jugeant la position cégétiste trop timorée en 1968 ne semble guère avoir beaucoup d'écho à l'intérieur de l'organisation. Pour la CGT l'analyse des conséquences de mai 1968 sur son recrutement demeure aujourd'hui une inconnue. En tout cas, si les démissions volontaires sont peu nombreuses, l'organisation ne semble guère attractive. L'érosion des effectifs qui s'amorce tient sans doute, pour l'essentiel, au non renouvellement d'effectifs que la CGT a toujours eu du mal à fidéliser.

• *Depuis 1974* toutes les organisations sont en recul. La CFDT qui avait même très légèrement augmenté ses effectifs jusqu'en 1977 est en léger recul depuis cette date ; la CGT voit s'accélérer son déclin. Les effectifs de la «Fédération générale de la métallurgie CFDT» qui étaient de 145 000 en 1976 ne sont plus que de 118 000 en 1979, soit une baisse de 18,6 % en 3 ans. Ceux des métaux CGT sont, de leur côté, passé de 420 000 en 1974 à 320 000 en 1978. De même, par exemple, note-t-on une baisse de 27,5 % de 1977 à 1979 dans l'union départementale CGT de la Marne ou de 42 % de 1969 à 1979 dans celle du Pas-de-Calais. Globalement la crise avec ses conséquences sur l'emploi et le niveau de vie explique, au moins en partie, les difficultés des syndicats à maintenir leur potentiel. Et la CGT est sans doute davantage frappée dans la mesure où les suppressions d'emplois affectent surtout les secteurs traditionnels de l'industrie: sidérurgie, textile, verre, bâtiment et travaux publics... Mais pour la CGT elle-même ce recul a d'autres causes: «les campagnes anti-communistes et anti-cégétistes n'ont pas été sans répercussion auprès d'un certain nombre de travailleurs syndiqués», note le complément au rapport financier publié par le Peuple [1] avant le congrès de 1982.

La politisation et la crise expliquent-elles le recul des effectifs?

Même quand ils sont mobilisateurs pour l'ensemble des salariés, les conflits relatifs à l'emploi n'apportent guère d'adhérents. Faut-il imputer à la signature du programme commun en 1972, à l'échec politique de la gauche en 1978, et aux tensions entre partis et syndicats leurs difficultés de recrutement? Une hypothèse est tentante: celle des réticences des salariés à l'égard de tout engagement politique trop prononcé des syndicats.

La stagnation de la CFDT avant son recentrage officialisé en 1978, l'accélération du recul de la CGT depuis son soutien marqué en faveur du parti communiste au travers du programme commun, de même que l'apparente bonne santé de FO moins politisée, témoignent de l'importance de «l'apolitisme» pour le développement syndical, au moins en ce qui concerne les adhérents. Cependant la CFDT n'a guère touché les dividendes de sa nouvelle orientation qui a sans doute, sur le moment, désorienté une partie des militants. Comme aux premières années de la Ve République, les salariés semblent moins prêts à admettre un renforcement des liens entre syndicats et partis qu'une extension du champ d'action syndical à la place des partis politiques. Peut-être le recentrage de la CFDT est-il une manifestation de cette conviction.

Faut-il ajouter que la double victoire de la gauche aux élections présidentielles et législatives n'a suscité aucun engouement syndical analogue à celui du front populaire. Au printemps 1982, Ernest Deiss fait état à la tribune du congrès de la CGT d'un simple ralentissement de la baisse de rentrées des cotisations depuis 1981 [2]. La CFDT fait état en janvier 1982 d'un redressement qui devrait se traduire par une progression de 1 % pour l'exercice 1981.

---

1. 11/24 avril 1982.
2. Le Peuple du 11/24 avril 1982 indique prudemment «les éléments en notre possession pour 1981 confirment la tendance au redressement et il est possible d'envisager un solde positif pour 1982.»

Rien ne permet aujourd'hui de se prononcer avec certitude sur la raison principale du recul des effectifs. L'hypothèse la plus sûre demeure qu'en période de crise les combats de défense même couronnés de succès suscitent peu d'adhésions. La négociation dans la sidérurgie en 1979 est sans doute la meilleure illustration de l'efficacité de la mobilisation syndicale (les résultats de l'accord de 1979 sont importants), mais de l'impossibilité d'attirer des adhérents à partir d'une stratégie de repli [1].

Reste que cette conjoncture n'a peut-être fait qu'accélérer un processus plus structurel lié à la modification du système de communication entre les organisations et leur clientèle. L'adhésion ne constitue plus la condition indispensable pour participer à la démocratie syndicale. Le poids grandissant des inorganisés dans les décisions du syndicat a sans doute pour effet pervers de rendre moins nécessaire l'adhésion pour faire entendre son point de vue.

III - Les spécificités de chaque confédération

Les 25 % de syndiqués sont-ils «qualitativement» représentatifs de l'ensemble des salariés français? Ce taux moyen correspond-il à la situation de la plupart des secteurs d'activité ou recouvre-t-il des fortes disparités entre l'industrie privée et le secteur public, entre les ouvriers et les cadres...? Les données font totalement défaut pour une appréciation d'ensemble; les enquêtes existantes permettent cependant quelques observations ponctuelles sur les spécificités de chaque confédération.

L'enracinement ouvrier de la CGT

La composition interne de la CGT est mieux connue depuis l'enquête réalisée par la CGT sur ses adhérents en 1975 et que complète éventuellement sur quelques points un sondage «Louis Harris-France» de septem-

---

1. Voir, par exemple, «les vraies causes du recul», *l'Expansion,* 7/20 décembre 1979. L'article énumère en vrac comme causes «conjoncturelles»: la crainte du chômage, l'absence de perspectives politiques, la baisse du tonus intellectuel, la perception des réalités économiques, le relais des médias, le sommeil de la négociation collective. Au-delà des aspects conjoncturels sont évoquées les erreurs «d'analyse» des syndicats sur la segmentation de la classe ouvrière, la coupure entre le secteur privé et le secteur public, le changement des mœurs, la régression du militantisme.

bre 1977 consacré à la structure des adhérents de la CGT et de la CFDT et à leurs attitudes syndicales et politiques [1].

Les adhérents de la CGT se caractérisent par :

• **Une sur-représentation des hommes** par rapport aux femmes (en valeurs absolue et relative) :

Pour trois hommes adhérant à la CGT, on compte une femme, (74,5 % d'hommes et 25,5 % de femmes, selon l'enquête de la CGT) alors que les femmes représentent 39 % de la main-d'œuvre salariée (données de 1978). Les estimations du sondage Louis Harris surestiment à l'excès l'importance des femmes en accordant 34 % de femmes adhérentes à la CGT pour 66 % d'hommes et même 49 % de femmes à la CFDT pour 51 % d'hommes.

Dans quatre fédérations de la CGT, les femmes sont plus nombreuses que les hommes. Il s'agit évidemment de branches dans lesquelles l'emploi féminin est particulièrement important : habillement (89 % de femmes), employés (69 %), services publics (53,4 %) et cuirs et peaux (52 %) [2].

Pour la seule catégorie ouvrière, selon *l'Ouvrier français en 1970,* le pourcentage de femmes parmi les syndiqués de la CGT n'est que de 18 % pour 82 % d'hommes. La proportion est encore plus faible à la CFDT : 14 % de femmes et 86 % d'hommes [3]. Ces données doivent évidemment être pondérées en fonction de la répartition même des sexes chez les ouvriers : 22,9 % de femmes et 77,1 % d'hommes [4].

Au total, dans aucune confédération le niveau d'adhésion des femmes n'égale celui des hommes, mais c'est à la CGT que le déséquilibre est le moins fort. De surcroît, chez les ouvrières, l'adhésion à la CGT est proportionnellement plus massive que chez les ouvriers. Il n'en n'est pas de

---

1. «Les Adhérents de la CGT» 1975, IFOP. Enquête réalisée à partir d'un sondage sur les volets des cartes confédérales parvenues à la CGT au cours du 1er semestre 1975. Un compte rendu de ces sondages a paru dans *le Peuple,* n° 972, 1/15 septembre 1975.
Le sondage «Louis Harris» a été effectué en septembre 1977 auprès d'un échantillon national de 3 037 personnes représentatif (par la méthode des quotas) de la population française âgée de 18 ans et plus. Les principaux résultats du sondage ont été publiés par *le Matin,* 27/28 octobre 1977.
La différence de deux années qui sépare les deux enquêtes ne nous semble pas la cause des écarts entre leurs résultats. Compte tenu de sa méthode, l'enquête de la CGT est plus fiable. Sa limite tient à ce qu'elle ne porte que sur les caractéristiques socio-professionnelles des adhérents de la CGT. Elle ne comporte aucune question sur leurs comportements politiques.
2. Les femmes représentent 32,1 %, 42,3 % et 67,2 % de la main-d'œuvre dans l'habillement/textile, les cuirs/peaux/chaussures et les employés. Voir pour les deux premiers ratios «Emploi salarié par région», collections de l'INSEE, série D.60, p. 50 (données au 31/12/75). Le troisième est tiré de «Enquête sur l'emploi de mars 1978», *op. cit.,* p. 40/41. Aucun ratio ne peut être établi pour les services publics qui ne correspondent à aucune série statistique de l'INSEE.
3. *Op. cit.,* p. 137/139.
4. «Emploi salarié par région», *op. cit.,* p. 40/41.

même chez les employées de bureau. *L'Ouvrier français en 1970* indique, par exemple, que 68 % des ouvrières syndiquées le sont à la CGT alors que le pourcentage n'est que de 60 % chez les ouvriers. De même l'enquête «Femmes à l'usine et au bureau» (CGT, 1976) précise que 68,3 % des ouvrières syndiquées le sont à la CGT, le pourcentage s'établissant à 39,7 % chez les employés dont le taux de syndicalisation est, par ailleurs, légèrement plus élevé (22,4 % contre 21,8 %).

* *La prédominance des adultes de 25 à 49 ans*

Les jeunes de moins de 24 ans et les travailleurs vieillis (plus de 50 ans) adhèrent moins à la CGT que le groupe intermédiaire. La moyenne d'âge des adhérents s'établit à 38 ans et demi :

TABLEAU VI — SYNDICALISATION SELON L'AGE

Tranches d'âges	Salariés (Sondage L. Harris)		Ouvriers seuls (*l'Ouvrier français en 1970)*		France entière 1975 population active
	CFDT	CGT	CGT	CFDT	
18/24 ans	14	12	14	11	17,4
25/34 ans	38	28	21	25	27,0
35/49 ans	32	31	44	44	32,9
50/64 ans	11	21	21	21	20,2
65 et plus	5	8			2,5
	100	100	100	100	100

Pour l'ensemble des adhérents, la structure de la CFDT est sensiblement plus jeune : la catégorie la plus nombreuse est pour elle celle des 25/34 ans alors que c'est celle des 35/49 ans pour la CGT. Les plus de 50 ans qui totalisent 29 % des adhérents cégétistes, ne représentent que 16 % de ceux de la CFDT, presque moitié moins. Chez les ouvriers toutefois, la répartition par âge est à peu près identique entre la CGT et la CFDT, avec une légère prédominance cégétiste chez les 18/24 ans. L'enquête CGT sur les jeunes ouvriers confirme d'ailleurs que sur les 20 % qui sont syndiqués, près des trois quarts le sont à la CGT [1].

---

1. *Op. cit,* p. 81/82. Selon cette enquête la répartition des syndiqués est la suivante : CGT : 14 %, CFDT : 4 %, FO : 1 %, autres : 1 %.

• *Une proportion d'immigrés voisine de leur place dans la population salariée*

La CGT compterait 6,3 % d'immigrés alors qu'ils représentent 7,5 % des salariés [1].

• *Un enracinement dominant dans le secteur industriel et chez les ouvriers*

Du point de vue des adhérents, la CGT demeure fondamentalement une organisation ouvrière et industrielle. Son syndicalisme n'est pas encore celui de tous les salariés :

TABLEAU VII — RÉPARTITION DES ADHÉRENTS DE LA CGT
SELON LES SECTEURS

	Hommes		Femmes	
	Adhérents (1)	France entière (2)	Adhérents (1)	France entière (2)
Agriculture	1,9	3,1	1	0,8
Industrie	63,2	52,2	44,9	29,5
Transports	12,1	6,2	4,9	1,7
Commerce	3,1	9,8	6,7	13,6
Services	18,4	27	38,8	50,5
Banques	0,7	2,2	2,9	3,4
	100	100	100	100

(1) *Source:* enquête CGT sur des adhérents, 1975.
(2) *Source:* «Emploi salarié par région au 31 décembre 1974», collection de l'INSEE, série D. n° 47, septembre 1976.

Alors que l'industrie et les transports ne représentent que 48,3 % des emplois salariés, la CGT puise là plus des deux tiers de ses adhérents (69,3 %) ; la proportion est encore plus forte chez les adhérentes. En revanche, le commerce et les services et, à un moindre degré, l'agriculture, les banques et assurances constituent des zones de relative faiblesse.

Malgré sa bonne implantation dans le milieu ouvrier, la CGT a cependant proportionnellement plus d'adhérents dans le secteur public où prédominent les emplois tertiaires, que dans le privé.

Le secteur public (fonction publique + secteur nationalisé) représentait en effet 27,3 % du total des emplois salariés en France en 1975 alors

1. Enquête sur l'emploi de mars 1978, *op. cit.*

que la CGT recrutait là 42,6 % de ses adhérents (57,4 % dans le secteur privé qui totalise 72,7 % des emplois).

La répartition des adhérents par fédération n'autorise aucun rapprochement avec les statistiques de l'INSEE car le champ de recrutement des fédérations de la CGT ne correspond pas aux classifications de l'INSEE. Tout au plus, peut-on indiquer que sur les 10 plus importantes fédérations, 6 représentent le secteur privé avec 42,5 % des adhérents :

- Métaux	22,0 %	
- Services publics	10,3 %	
- Cheminots	6,3 %	
- PTT	5,4 %	
- Chimie	5,1 %	69,5 % du total
- Éclairage	5,0 %	des adhérents à la CGT
- Livre	4,7 %	
- Construction	4,4 %	
- Employés	3,2 %	
- Alimentation	3,1 %	

Parallèlement les ouvriers constituent plus des deux tiers des adhérents de la CGT (69,6 %) alors que leur part est de 45,2 % chez les salariés. A l'intérieur du groupe, les plus nombreux sont les professionnels qualifiés proportionnellement deux fois plus nombreux que dans la réalité. Seuls les manœuvres sont sous-représentés :

TABLEAU VIII – VENTILATION DES ADHÉRENTS CGT ET CFDT SELON LES CATÉGORIES

	Enquête CGT Adhérents CGT		Sondage Louis Harris Adhérents CGT	Adhérents CFDT	France Entière population salariée en 1975 (1)	
Manœuvres	5,6 %		59 %	48 %	9,0 %	
OS	27,4 %				16,7 %	
OP .... Ouvriers	32,1 %	69,6			16,9 %	45,2
OHQ	4,5 %				2,6 %	
Employés	22,8 %		15 %	12 %	21,3 %	
Techniciens	5,3 %	7,7	14 %	32 %	4,2 %	22,4
Cadres et ingénieurs ...	2,4 %				18,2 %	
Services					6,5 %	
Salariés agricoles			12 %	8 %	2,0 %	10,5
Divers					2,0 %	
	100		100	100	100	

(1) *Source:* Recensement de 1975 *in Population et Avenir,* août/octobre 1977.

Les employés dépassent légèrement le pourcentage qu'ils ont dans la population salariée (22,8 % pour 21,3 %). Les ingénieurs et cadres (y compris les techniciens et les cadres moyens) sont évidemment sous-représentés : 7,7 % des adhérents contre 22,4 % dans la population salariée, soit pratiquement 3 fois moins. En ajoutant la maîtrise le pourcentage atteint 12,2 % (25 % dans le total des salariés) soit 2 fois moins. Les personnels de services (gens de maison), les artistes (répertoriés dans les divers) semblent pratiquement absents de la CGT. Les salariés agricoles sont vraisemblablement comptabilisés avec les employés et ouvriers.

Le sondage Louis Harris fournit une ventilation différente des adhérents de la CGT et de la CFDT. S'il est vraisemblable que la CFDT compte moins d'ouvriers que la CGT, il est en revanche improbable que les ingénieurs, cadres et techniciens atteignent près du tiers de ses adhérents. Même si on considère que l'enquête repose sur une conception très extensive de l'adhérent, la répartition qu'elle fournit doit être considérée avec circonspection [1].

• *La faible ancienneté des adhésions*

En 1975 : 65,7 % des adhérents, soit les deux tiers, avaient adhéré après 1968 : 4,7 % avant avril 1945, 11,5 % entre 1945 et 1957, 18 % entre 1958 et 1967, 26,6 % entre 1968 et 1972, 39,1 % entre 1973 et 1975.

Pour la CGT, il est clair que les événements de 1968 lui ont été profitables contrairement à certaines assertions...

Au total, le portrait robot du syndicaliste cégétiste se brosse ainsi : c'est un homme de 38 ans, ouvrier qualifié de la métallurgie, titulaire du CAP, ayant adhéré il y a moins de 10 ans et vivant dans une ville de plus de 100 000 habitants [2]. S'il s'agit d'une femme, son âge est identique mais elle travaille surtout comme ouvrière dans l'habillement, le textile, les cuirs et peaux ; dans ce dernier cas son ancienneté est très faible (90,8 % des salariées de l'habillement, en 1975, avaient adhéré depuis 1968).

---

1. Les écarts tiennent vraisemblablement à deux causes complémentaires :
— Une classification différente des catégories professionnelles (la maîtrise a souvent, par exemple, été regroupée avec les cadres moyens, etc.).
— Une insuffisance de l'échantillon qui amplifie les erreurs : sur les 3 037 personnes de l'échantillon, les cégétistes ne doivent guère représenter que 100 ou 200 personnes, la CFDT sans doute moins d'une centaine. Il serait nécessaire de connaître le nombre de syndiqués interrogés et la façon dont le sondage a été réalisé pour en apprécier sa fiabilité.
2. Dans la métallurgie l'âge moyen est en réalité plus jeune et la date d'adhésion encore plus récente.

La mutation socio-professionnelle de la CFDT

A défaut d'informations sur la répartition socioprofessionnelle de ses adhérents, la CFDT a toujours rendu public le pourcentage de ses effectifs par secteur d'activité économique [1]. Plus que les gains quantitatifs, l'aspect majeur de son évolution demeure la mutation de sa composition interne :

TABLEAU IX — RÉPARTITION DES ADHÉRENTS CFDT
SELON LES SECTEURS

	% des salariés dans chaque secteur			
	1950	1972	1960	1967
Secteur industriel et agricole	23,4	47,2	65,6	59,5
Secteur Services et crédit	24,3	9,4	11	13,3
Secteur nationalisé (sauf Banques)	20,5	9,1	6,9	6,4
Fonction publique et Défense Nationale	20,9	22,9	11,3	14,8
Secteur Mixte	4,9	8,2	2,5	3
Enseignement Privé	0,8	2,4	2,6	3
Divers	4,9	0,5		

Au lendemain de la guerre, les effectifs de la CFTC se répartissaient en quatre fractions sensiblement égales, avec une sur-représentation des employés et du secteur public. Même en tenant compte de la diminution de la part de l'industrie et de l'agriculture dans le total des emplois salariés, la transformation interne est spectaculaire. La part des secteurs agricoles et industriels a plus que doublé en 20 ans : 47,2 % du total des adhérents ; les salariés de cet ensemble atteignent 59,5 % du total. Les services et le secteur nationalisé ont reculé en valeur relative. Ils ne représentent plus respectivement que 9,4 % et 9,1 % (13,3 % et 6,4 % sur le plan national). La CFDT a par ailleurs amélioré son implantation dans la fonction publique puisqu'elle y a actuellement encore près du quart de ses adhérents.

A l'occasion des 37e et 38e Congrès, la CFDT a procédé à une enquête auprès des participants [2]. La compréhension des résultats implique

---

1. La CFDT n'a jamais effectué comme la CGT d'enquête sur le profil de ses adhérents. Les enquêtes d'opinion dont ont déjà été présentés les principaux résultats à propos des caractéristiques des adhérents de la CGT portent finalement sur un nombre tellement faible de cégétistes qu'il ne vaut pas la peine d'analyser avec précision leurs résultats.

2. Les résultats ont été publiés dans *CFDT Aujourd'hui*, n° 22, (novembre-décembre 1976) pour le 37e congrès (questionnaire auprès de 1 444 délégués) et n° 41 (février 1980) pour le 38e congrès (questionnaire auprès de 1 367 délégués). La composition socioprofessionnelle a peu varié d'un congrès à l'autre. Aussi nous indiquons simplement les résultats de 1979.

d'avoir constamment à l'esprit qu'il s'agit de délégués aux congrès qui ne sont pas représentatifs des militants et encore moins des adhérents de la CFDT.

A l'évidence, les femmes et les immigrés sont très sous-représentés parmi les délégués (hommes : 86 % ; femmes : 14 % ; immigrés : 1 % dans les deux enquêtes). Mais ces biais ne sont-ils pas eux-mêmes significatifs de la logique d'organisation et donc de pouvoir des syndicats ? La CFDT n'échappe pas aux pesanteurs de toutes les autres confédérations : sur-représentation du secteur public (46,5 % des délégués en 1976 et 47,3 % en 1979 contre respectivement 50,3 % et 50,8 % pour le secteur privé, le reliquat étant indéterminé), des qualifications intermédiaires, aux dépens des OS/manœuvres et des ingénieurs et cadres supérieurs. Les OS et manœuvres représentent en effet 5,6 % des délégués contre 21,9 % pour les ouvriers qualifiés, 22 % pour les employés et fonctionnaires des catégories C et D, 17,6 % pour les techniciens, 16,2 % pour les cadres moyens et fonctionnaires du niveau B, 6,7 % pour les enseignants, 7,7 % pour les ingénieurs, cadres et fonctionnaires de rang A (2,4 % de sans réponse).

Comme le note le commentaire de *CFDT Aujourd'hui* : « Cette structure de qualification ne semble pas être représentative de l'ensemble des militants de la CFDT mais est révélatrice du mode de sélection des délégués au congrès confédéral. L'étude des mandats syndicaux exercés par les différentes catégories professionnelles représentées au congrès confirme l'influence de la qualification professionnelle : les ouvriers non qualifiés exercent surtout des mandats au niveau de l'entreprise (élus du personnel, secrétaires de sections syndicales) et sont donc moins préparés à participer à un congrès confédéral ; au contraire les cadres supérieurs et les fonctionnaires A, qui ont moins de responsabilités au niveau de l'entreprise mais sont plus présents au niveau du syndicat ou de la fédération seront plus facilement choisis comme délégués. »

Le renouvellement et le rajeunissement des adhérents depuis la déconfessionalisation de 1964 sont manifestement tempérés par une continuité au niveau des militants tels, du moins, qu'ils apparaissent à travers les délégués aux congrès. En 1979, 15,7 % des délégués avaient adhéré avant 1964 à la CFDT, alors CFTC et 14,9 % entre 1964 et 1968 soit donc près d'un tiers de militants appartenant à la CFDT avant les événements de 1968. A l'autre extrémité 8,9 % seulement des délégués avaient adhéré entre 1976 et 1979, 56 % ayant adhéré entre 1968 et 1976 (sans réponse à la question : 4,6 %).

Un pourcentage non négligeable des délégués n'a d'ailleurs pas adhéré directement à la CFDT : en 1974, 16,1 % étaient auparavant à la CGT, 1,4 % à FO, 1,2 % à la FEN et 19 % dans un autre syndicat, soit largement plus du tiers (37,7 %) en provenance d'une autre organisation. Le phénomène n'est sans doute pas symétrique dans les autres confédérations [1].

Le poids de FO dans le secteur public

Les données disponibles pour FO sont plus succinctes : on ne dispose guère que de la répartition des mandats par fédération à l'occasion des congrès confédéraux, pour apprécier sa structure socioprofessionnelle. A sa fondation, parmi les dix organisations les plus importantes qui représentaient plus de 70 % de ses effectifs, cinq concernaient le secteur public (bâtiment, bois, céramique, métaux, alimentation, textile), une les employés et les cadres [2].

Depuis la tendance s'est renforcée en faveur du secteur public. Au congrès de 1969, sur les cinq fédérations disposant de 53,3 % des mandats, celles du secteur public en totalisaient 39,7 % :

- Fédération des services publics et de santé .... 19,5 %
- Fédération des PTT .... 14,1 %
- Fédération des employés et cadres .... 8,2 %
- Fédération des métaux .... 7,1 %
- Fédération des Cheminots .... 4,4 %

53,3 %

Toutefois la part du secteur privé semble avoir quelque peu augmenté récemment.

IV - Un système diffus d'influence

La prédominance du secteur public

Pour toutes les confédérations, le taux de syndicalisation est plus élevé dans le secteur public : Force Ouvrière y a plus de la moitié de ses

---

1. Cf *l'ouvrier français en 1970, op. cit,* p. 19/20 ; 38 % des anciens cégétistes partiraient à la CFDT et constitueraient 26 % du total des adhérents de cette confédération. (Données relatives aux seuls ouvriers).

2. Sur ce point voir Gérard Adam, la CGT-FO, Paris FNSP, 1965 ; Alain Bergounioux, *Force ouvrière, op. cit.*

adhérents, la CGT entre 35 et 40 % et la CFDT un peu plus du tiers. Aussi, sur les 4 800 000 salariés de l'État, des collectivités locales et des services publics doit-on compter 40 % de syndiqués ; la moyenne s'élève avec l'éducation où le nombre des syndiqués est particulièrement plus important. Dans le secteur privé, il s'établit en moyenne à 20 % avec des écarts importants suivant les branches et les catégories socioprofessionnelles. Le taux est conforme à la moyenne nationale dans les métaux, la chimie ou les banques, plus faible dans le bâtiment et les travaux publics pour s'abaisser encore dans le commerce et certains services où il est bien inférieur à 10 %. Chez les cadres, la syndicalisation réelle avec paiement régulier d'une cotisation est inférieure à 15 %. Elle est maintenant supérieure aux estimations passées, ne serait-ce que parce que le chômage leur a fait prendre conscience de l'intérêt de l'action collective, mais inférieure aux pourcentages indiqués par les sondages.

Au total, la France est sûrement un des pays où la présence syndicale est la plus diffuse : dans les pays anglo-saxons, le syndicalisme des cadres n'existe pas et à côté des zones de monopole, des branches entières (dans le tertiaire notamment) échappent à toute forme de syndicalisme. S'il n'est que rarement en situation de domination, le syndicalisme n'est jamais, non plus, totalement absent. Du point de vue des négociations, cette situation est peu favorable car les avancées se font toujours à partir des points forts, et les zones de force réelles coïncident avec le secteur public étroitement encadré par l'État ou avec des branches en difficulté (industries polygraphiques, marins ou dockers).

Du point de vue de l'influence globale du syndicalisme sur l'opinion, cette caractéristique a l'avantage de lui favoriser une présence dans tous les secteurs de la vie économique et sociale. Ce que les syndicats perdent en efficacité dans la négociation est compensé par une capacité non négligeable d'influence dans toute la société française.

Depuis 1968, la CGT et la CFDT — FO sans doute aussi — enregistrent des évolutions divergentes en ce qui concerne les adhésions. La crise est sérieuse pour la CGT car elle affecte, structurellement, les catégories socioprofessionnelles et les branches où elle s'est toujours développée depuis ses origines. La crise économique et les désaccords politiques au sein de la gauche accélèrent cette récession [1]. Reste que les adhérents ne constituent qu'un des éléments de la force de la CGT. Son

---

1. A l'opposition entre socialistes et communistes se sont ajoutés à la CGT les dissensions internes au parti communiste : Jean-Louis Moynot, par exemple, qui a démissionné du bureau confédéral a apporté son soutien à Henri Fizbin lui-même exclu du PCF.

réseau de militants, son appareil et son audience à travers les élections professionnelles constituent pour elle d'autres atouts tout aussi précieux.

La forte implantation du syndicalisme dans le secteur public tient assurément à son institutionalisation plus ancienne que dans le secteur privé : la loi du 27 décembre 1968 a finalement peu innové dans le secteur public où le fait syndical était accepté de longue date, même si juridiquement le droit pour les fonctionnaires de se syndiquer a été plus tardif que dans le secteur privé. Mais la sécurité de l'emploi et le rôle actif des syndicats dans le contrôle des carrières des agents publics expliquent encore plus son développement. Pour ce dernier point, les syndicats n'ont guère souhaité un développement comparable dans les entreprises privées. Les employeurs sont certes très réservés à l'égard d'un élargissement du pouvoir syndical ; mais dans les branches où existent des embryons de gestion paritaire des personnels (en matière disciplinaire, par exemple comme dans les banques) les syndicats ne poussent pas à leur développement par crainte d'intégration. Il est significatif que le rapport Auroux, largement inspiré par les syndicats (notamment la CFDT) ne contienne aucune proposition en ce sens. Les préoccupations majeures demeurent le développement du droit syndical et le renforcement des attributions du comité d'entreprise mais non le partage des responsabilités dans la gestion des décisions individuelles.

Dans la course aux adhérents, le secteur public devrait pourtant les inciter à une réflexion sur leur stratégie de développement. Le recrutement d'adhérents est finalement toujours lié à l'exercice d'un fort contrôle sur les conditions d'emploi et de promotion. Les syndicats catégoriels apportent une illustration supplémentaire à cette démonstration largement vérifiée dans les pays étrangers.

La gestion des intérêts des catégories dominantes des salariés

L'ambition des syndicats doit-elle être de se développer de façon forte et égale dans tous les secteurs et toutes les catégories ? Faute d'une politique incitative des pouvoirs publics et des employeurs, cette voie risque de demeurer celle des vœux pieux mais irréalistes. Est-elle même souhaitable ? Le mouvement syndical du XIXe siècle ne regroupait qu'une minorité parmi les ouvriers qui ne constituaient eux-mêmes qu'un groupe marginal dans une société rurale. Il y aurait aujourd'hui, certes, quelque excès à assimiler le dynamisme ou la pureté révolutionnaire à toute action minoritaire. L'attrait des militants pour les groupuscules n'est souvent qu'une manifestation inconsciente d'élitisme.

Cependant, c'est à partir de secteurs clefs et de groupes sociaux «porteurs d'avenir» que les syndicats doivent imaginer leur stratégie de développement. La réussite syndicale dans le passé a été assurée par convergence entre un mode d'organisation ou d'action et un groupe social: le syndicalisme de métier avec les professionnel qualifiés, le syndicalisme de masse avec les manœuvres et les ouvriers spécialisés au CIO américain comme à la CGTU française.

Assurément, la solidarité entre les groupes sociaux est un impératif fondamental des syndicats et la démocratie syndicale impose que tous les adhérents disposent d'un même poids. Mais ces exigences n'excluent pas des choix et des priorités, non seulement dans les thèmes revendicatifs mais aussi dans la vision que les syndicats ont de la société et des groupes qui la composent. Il est significatif que la CGT ait eu à sa tête un ancien cheminot et la CFDT un technicien de la chimie. Le choix des dirigeants n'est pas autre chose que la projection du modèle de développement souhaité par chaque organisation.

Mais peut-être est-il devenu impossible pour les syndicats de procéder à un tel choix en raison de l'extension de leur champ de recrutement et de la diversification des statuts des salariés, y compris chez les seuls ouvriers. Le mouvement ouvrier n'est plus un: rassemblement hétérogène de catégories aux intérêts séparés, parfois même opposés, les syndicats sont condamnés à gérer les tensions entre ces groupes qu'ils ne peuvent raisonnablement plus dynamiser autour d'une utopie commune. L'affirmation du renforcement de la lutte des classes ne suffit plus à dissimuler que les syndicats sont devenus les gestionnaires des intérêts des catégories qu'ils représentent le mieux (les fonctionnaires, les agents des entreprises nationalisés, les salariés permanents des grands groupes industriels...) et non les porteurs d'un projet cohérent d'une société moderne ouverte aux rudes réalités internationales.

3. Les relais institutionnels de l'influence syndicale

I - Les élections professionnelles: une mesure fiable de l'audience syndicale

Pour l'opinion publique, les élections professionnelles constituent le meilleur baromètre de l'influence syndicale. Cette situation résulte pour une part de l'interprétation jurisprudentielle des critères légaux de représentativité [1] mais surtout d'un fait de société: le bulletin de vote se substitue de plus en plus à l'adhésion pour apprécier la force d'une organisation. Les trois scrutins qui jalonnent la vie des entreprises sur deux ans — les élections de délégués du personnel sont annuelles, celles du comité d'entreprise ont lieu tous les deux ans — sont davantage l'occasion de mesurer des cotes de popularité que d'émettre des propositions originales pour les institutions de représentation.

Une polémique sans fondement

Le patronat conteste souvent la validité de ce test qui serait faussé par le «monopole» dont bénéficient les syndicats au premier tour. En fait, la polémique mêle deux problèmes distincts: celui de la présomption de représentativité des cinq grandes confédérations dans l'entreprise et celui du monopole dont bénéficie *tout* syndicat au premier tour. Surtout

---

1. Ces critères (les effectifs, l'indépendance, les cotisations, l'expérience et l'ancienneté, l'attitude patriotique pendant l'occupation) sont énumérés par l'article L. 133.2 du Code du Travail qui, en droit strict, ne concerne que la conclusion de conventions collectives. En fait, les critères s'appliquent dans tous les cas où la représentativité syndicale doit être appréciée.

Pour une vue d'ensemble rapide des aspects juridiques du problème, voir Jean-Maurice Verdier, «Réalité, authenticité et représentativité syndicale» in *Études de Droit du Travail offertes à André Brun*, Paris, 1974.

Pour une étude approfondie, voir Albert Arseguel, «la Notion d'organisation syndicales les plus représentatives», Thèse pour le doctorat en droit, université des Sciences Sociales de Toulouse, 2 tomes.

elle ne repose sur aucun élément objectif. En effet, les cinq confédérations ne bénéficient d'aucun privilège en matière d'élections (il n'en est pas de même pour la désignation des délégués syndicaux). Tout syndicat existant est réputé représentatif, à charge pour l'employeur ou un syndicat concurrent de demander au tribunal d'Instance de lui refuser cette qualité.

Les critères de représentativité sont dans la réalité interprétés avec souplesse par la jurisprudence : une ancienneté de l'ordre d'une année pour éviter la création d'une organisation à l'occasion d'un scrutin, une absence manifeste de liens avec l'employeur, une cotisation annuelle de quelques dizaines de francs, un minimum d'activités (réunions, tracts, consignes d'action) et un pourcentage modeste d'adhérents (rares sont les cas où la représentativité est refusée à un syndicat groupant au moins 5 % du total des salariés) suffisent à confirmer une représentativité juridiquement acquise dès la création de l'organisation.

Les systèmes anglo-saxons d'enregistrement ou d'accréditation sont autrement plus restrictifs de la liberté individuelle puisqu'ils ne permettent pas la libre création d'un syndicat. Le contrôle *a posteriori* et éventuel exercé par les juges en France est infiniment moins contraignant que la procédure de consultation du personnel aux États-Unis où la création d'un syndicat est subordonné d'abord à la pétition d'un certain pourcentage de salariés puis à un vote majoritaire de tout le personnel concerné, sachant qu'ensuite l'organisation bénéficie d'un monopole total de représentation dans l'unité de négociation qu'elle recouvre. Avec des procédures différentes, les objectifs sont bien, partout, d'éviter l'émiettement de la représentation et l'ingérence des employeurs [1].

En France, par ailleurs, aucun système électoral ne comporte une liberté totale de candidatures individuelles, même dans les modes de scrutins uninominaux. Indépendamment des exigences légales d'éligibilité, des règles de dépôt de caution, de patronage d'élus (cf. l'élection présidentielle), d'interdiction de panachage et de vote préférentiel [2] et surtout de majorité absolue au premier tour tempèrent la liberté de

---

1. Ainsi, en matière d'élections, la plupart des pays européens connaissent des dispositions plus marquées qu'en France pour réserver au syndicat le «monopole» de la représentation : en Belgique, le monopole s'exerce au second comme au premier tour. Aux Pays-Bas, les listes non syndicales ne sont possibles qu'autorisées par la commission paritaire de la branche professionnelle...

2. Contrairement à certains scrutins politiques, la pratique de la rature n'était pas interdite pour les élections professionnelles. A la limite, il suffisait qu'un seul électeur raye le nom d'un candidat pour que celui-ci soit rejeté en fin de liste et pratiquement éliminé sans appel, malgré la volonté implicite de tous ceux qui n'avaient pas rayé ce nom. Les nouveaux articles L. 423.15 et L. 433.10 prévoient que «les ratures ne sont pas prises en compte si le nombre est inférieur à 10 % des suffrages valablement exprimés en faveur de la liste sur laquelle figure ce candidat...»

choix réel des électeurs. Dans les élections professionnelles, le mode de scrutin proportionnel a pour contrepartie l'exigence d'une présentation des candidats par des syndicats ayant une existence réelle et indépendante. Qui serait gagnant si, demain, était mis en place un système uninominal ou de liste, analogue à celui des élections législatives, avec liberté de candidatures mais exigence de la majorité absolue au premier tour et d'obtention de 12,5 % des voix par rapport aux inscrits pour le maintien au second? Assurément pas les candidatures isolées ou les listes des syndicats minoritaires. Enfin, compte tenu du pourcentage moyen d'abstentions (près de 30 % actuellement), un cinquième supplémentaire des électeurs boudant le premier tour suffit pour permettre les candidatures libres au deuxième.

Un sixième des entreprises sans comité d'entreprise

Assurément, les élections professionnelles ne suffisent pas à elles seules à mesurer l'audience des syndicats auprès des salariés. Les comités d'entreprise n'existent pas partout.

Dans le secteur privé, au 31 décembre 1979, 16,7 % des entreprises assujetties (contre 50 % en 1967) ne possèdent pas de comité d'entreprise et sur les 12,5 millions de salariés de ce secteur, près de 1,5 million (12 %) travaillent dans des entreprises de moins de 10 salariés où n'existe aucun système de représentation [1]. Le pourcentage d'entreprises sans comité s'élève à 23,8 % dans la tranche 50/95 salariés : contre 40,9 % en octobre 1975. Il s'abaisse à 2 % dans la catégorie des 1 000 salariés et plus. Les branches qui en sont le plus dépourvu sont : «Extraction de Minerais», «Combustibles, Minéraux solides», «Habillement», «Hygiène, Services domestiques», «Bâtiment et Travaux Publics» [2].

Surtout dans un système multipolaire de relations professionnelles qui n'est pas centré sur la négociation dans l'entreprise [3], l'influence syndi-

---

1. L'enquête de Renaud Brocard et Jean-Marie Gandois «Grandes entreprises et PME», *op. cit.*, indique que les entreprises de moins de 10 salariés représentent 91 % du total, celle de 10 à 49 salariés 7 % et celles de plus de 50 salariés 2 %. En termes d'effectifs la répartition est évidemment différente. Le premier groupe ne correspond qu'à 13 % de l'emploi salarié, le second à 17 %, tandis que les entreprises de 50 salariés et plus totalisant 70 % des 11 242 000 salariés sur lesquels porte l'enquête (les entreprises de 1 000 salariés et plus représentent à elles seules 35 % de l'emploi salarié).
2. Voir l'étude du ministère du Travail: «Les comités d'entreprise existant à la date du 31 décembre 1979», *Travail Informations,* janvier 1982. Des études analogues peuvent être consultées pour les années antérieures dans le même périodique: n° 9 de mai 1979 et n° 29 de novembre 1976.
3. Contrairement à la plupart des pays occidentaux où la négociation collective se déroule principalement à un seul niveau (l'entreprise ou la branche ou l'inter-profession), la France se caractérise par la multiplicité des niveaux de négociation, les discussions de branche pouvant elles-mêmes être nationales ou locales.
Peut-être les dispositions nouvelles sur la négociation annuelle dans l'entreprise auront-elles, à terme, des conséquences sur le résultat des élections professionnelles.

cale repose sur d'autres fondements que les suffrages recueillis dans des élections : la qualité du réseau des militants, la capacité de l'appareil à mobiliser les salariés d'une région ou d'une profession, l'image dans les medias, l'institutionnalisation dans les instances consultatives de la vie économique et sociale, voire la notoriété de la doctrine dont se réclame un syndicat (comme l'avait décidé le Conseil d'État à propos de la morale sociale chrétienne pour la CFTC après la scission de 1964) constituent autant de sources de représentativité et de moyens d'influence.

Cependant, dans la mesure où elles sont aisément quantifiables, se déroulent à un rythme régulier et dans des conditions satisfaisantes de sincérité (mis à part quelques cas bien connus tels que Citroën ou Talbot-Chrysler[1]), les élections professionnelles constituent un des moyens les plus commodes et fiables d'apprécier l'évolution des forces syndicales.

II - La lente modification du rapport des forces

L'amélioration de l'outil statistique

Il n'existe aucune étude d'ensemble des élections professionnelles. Les recensements syndicaux demeurent généralement limités à quelques branches et ne contiennent que des indications sommaires et contestables limitées le plus souvent aux élections où l'organisation présente des candidats. L'enquête la plus complète est celle du ministère du Travail auprès des entreprises privées relevant de l'inspection du Travail[2].

En 1978-1979, l'enquête a porté sur 24 236 comités et 5 424 485 inscrits, soit 2,8 fois plus de comités qu'en 1966-1967 (8 618) et 2,2 fois plus d'inscrits (2 445 000)[3]. Cette croissance de l'échantillon résulte

---

1. Le 22 juin 1982, à Aulnaye, chez Citroën, les élections qui se sont déroulées avec un contrôle renforcé de l'inspection du travail, à l'issue de la grève des travailleurs immigrés, ont abouti aux résultats suivants : CGT, 57,5 % (9,6 % en mai 1981); CSL, 33 % (82,5 %); CFDT, 5,9 % (1,5 %); FO, 3,5 % (6,4 %).
2. L'enquête porte également sur les entreprises dépendant de l'inspection du Travail dans les Transports et en Agriculture. Depuis 1974, un nouveau système de collecte des données a amélioré le champ de l'enquête notamment dans certaines branches telles que les spectacles, l'hygiène et les services domestiques, le commerce. Par ailleurs, les statistiques sont établies à partir des *suffrages exprimés*, correspondant au nombre de bulletins déposés, raturés ou non, exprimant un vote en faveur d'une liste alors qu'auparavant, les *suffrages recueillis* correspondaient à la moyenne des voix obtenues par chaque liste de candidats. Ces améliorations et cette modification introduisent, en contrepartie, un léger facteur d'incertitude dans l'appréciation de l'évolution globale de chaque confédération en raison de la modification qualitative de l'échantillon.
3. Il est rappelé que les élections ont lieu tous les deux ans. Les résultats des années paires et impaires de chaque cycle sont régulièrement différents car la répartition des entreprises entre les deux années ne correspond pas à deux ensembles comparables. On est conduit à totaliser les résultats de deux années, pour avoir une vue d'ensemble des élections aux comités d'entreprise.

plus du développement des comités dans les petites et moyennes entreprises que de l'affinement de l'outil statistique. En effet de 1974 à 1979, la proportion des établissements de moins de 100 salariés est passé de 39,2 % à 44,8 % du total de l'échantillon sur lequel porte l'enquête du ministère du Travail. Si les données antérieures à 1974 étaient disponibles, elles feraient apparaître encore plus nettement cette évolution due essentiellement au développement de la présence syndicale après la loi du 27 décembre 1968 sur la création des délégués syndicaux.

En soustrayant du total des salariés, soit 17 557 463 personnes en mars 1978 [1], les salariés de l'État, des collectivités locales et des services publics, les travailleurs à domicile et les apprentis sous contrat (5 millions et demi environ au total) ainsi que les salariés des entreprises privées de moins de 50 salariés (environ 3 500 000), on constate que l'enquête du ministère du Travail porte sur près des deux tiers des salariés du secteur privé [2].

Le décalage est imputable à la fois :

— aux entreprises ne possédant pas de comité ;

— aux entreprises et institutions non soumises à l'obligation de mettre en place des comités ;

— à l'interruption momentanée d'élections dans des comités peu actifs (pour 1978, le ministère du Travail a enregistré 942 procès-verbaux de carence) ;

— à l'absence de réponses à l'enquête du ministère du Travail (non transmission des résultats à l'inspection du Travail).

La structure de l'échantillon sur lequel porte l'enquête ne présente pratiquement que de minimes différences avec le fichier d'entreprises du ministère du Travail. Sa validité est satisfaisante pour mesurer l'influence syndicale.

---

1. «Enquête sur l'emploi de mars 1978», op. cit. Les derniers chiffres ont peu évolué depuis : la même enquête d'octobre 1981, collections de l'INSEE série D. 89 indique 17,7 millions de salariés et également 5,06 millions d'agents du secteur public.
2. Les études syndicales biaisées en raison de la récapitulation des seuls résultats d'élections où la confédération considérée a présenté des candidats doivent être tenues pour dépourvues de rigueur. En revanche, Force ouvrière n'a pas tort de souligner que la prise en compte des élections de délégués du personnel serait nécessaire car les confédérations ont des représentativités variables suivant la taille des établissements.

Le déclin régulier de la CGT

Depuis 1966 (date de première publication des résultats par le ministère du Travail), les résultats globaux des élections ont évolué ainsi [1] :

• Dans le *collège des ouvriers et employés* l'évolution la plus marquante est le déclin de la CGT : perte de 12,8 points entre 1966/67 et 1978/79, soit en moyenne un indice 77 en 1978-79 par rapport à une base 100 en 1966-67 ; la CGT a reçu 42,9 % des suffrages en 1978/79 contre 55,8 % en 1966/67. Parallèlement, les trois autres confédérations bénéficient d'un solde positif mais modeste puisqu'il est de l'ordre de 2,6 points pour la CFDT, de 1,8 point pour FO et d'un demi-point pour la CFTC : leurs gains sont donc loin de correspondre à la perte de la CGT.

Les résultats de 1980 confirment ces mouvements puisque, par rapport à 1978, la CGT a encore perdu 1,7 point chez les ouvriers et employés tandis que la CFDT progressait de 0,6 point, FO de 1,1 et les non-syndiqués de 0,5 point. Dans les collèges de l'encadrement les pourcentages sont différents mais de même sens : perte de 1,8 point pour la CGT, d'un point pour la CGC et de 0,9 point pour les syndicats indépendants ; gains de 2 points pour la CFDT, de 1,2 point pour la CFTC et d'un demi-point pour les non-syndiqués.

Au total, les quatre grandes confédérations recueillent entre les trois quarts et les quatre cinquièmes des voix du collège des ouvriers et employés.

Les syndicats autonomes et indépendants ont enregistré un gain sensible à la suite des événements de mai 1968. Ils ont ensuite décliné pour se stabiliser à moins de 3,5 % des voix, soit un niveau légèrement supérieur à leur score d'avant 1968. Alors que la Confédération générale des syndicats indépendants a pratiquement disparu (la plupart de ses syndiqués ont rejoint la CFTC), la Confédération française du travail (CFT) devenue Confédération des syndicats libres (CSL) à la suite de dissensions internes ne rassemble plus que 1 ou 2 % des voix presque toutes localisées dans l'automobile (Citroën, Peugeot, Talbot).

Les non-syndiqués ont des résultats toujours plus favorables les années impaires mais ils ont progressé le plus dans le cycle des années

---

1. Voir les résultats chiffrés dans l'annexe 4 (tableau et graphiques). Les résultats peuvent être comparés avec les données relatives aux sections syndicales (annexe 1). Force ouvrière, qui recense les résultats des seules élections où elle présente des candidats, aboutit à des résultats très différents pour 1981-82 : CGT 33,2 % ; FO 27,3 % ; CFDT 20,1 % ; CFTC 5,5 % ; CGC 4,3 % ; divers 9,4 %. Cette recension, qui ne concorde nullement avec toutes les autres enquêtes, appelle des réserves en ce qui concerne sa sincérité.

paires. En 1978-79, ils représentent 17,8 % des voix contre 12,5 % en 1966-67.

Ce développement du vote en faveur des non-syndiqués ne correspond pas à une défiance à l'égard des syndicats mais simplement à une phase transitoire au moment de l'implantation de nouveaux comités d'entreprise. Progressivement, ceux-ci se syndicalisent et les élus sans étiquette du deuxième tour rejoignent les grandes confédérations syndicales.

Les voix recueillies par la CGC (0,6 %) dans le premier collège correspondent à quelques branches du tertiaire (banques, assurances) où la CGC présente des candidats chez les employés [1].

• Les résultats des *collèges de l'encadrement* sont différents à la fois dans leur structure et leur évolution [2].

Très nettement majoritaire dans le collège des cadres (3e collège) des voix en 1978/79, la CGC est dépassée dans le deuxième collège par la CGT et la CFDT. En 1978/79, cette dernière a recueilli 19,9 % des voix contre 20,8 % pour la CGT et 18,1 % pour la CGC. Certaines années (en 1975, 1976, 1977, 1978), les non-syndiqués devancent même la CGC. Tous collèges réunis après une progression sensible en 1968 et les deux années suivantes, la CGC a enregistré des résultats irréguliers et ne se situe, en 1978-79 que peu au-dessus de son score de 1966/67 (23,1 % contre 21,6).

La CGT, dont les résultats sont faibles dans le troisième collège (8 % en 1978/79), connaît une évolution irrégulière, en dents de scie. Dans l'ensemble de l'encadrement, en 12 ans, elle a perdu 1,9 point avec toutefois des écarts en plus ou en moins au cours de la période (chute accélérée après 1968 et en 1977-78).

De son côté, la CFDT a décliné régulièrement les années paires de 1966 à 1974 pour remonter depuis 1976, sans pourtant atteindre son niveau antérieur: 18,2 % des suffrages en 1978/79 contre 18,8 en 1966/67. En revanche, après une chute sensible après 1968 elle a reconquis une partie du terrain perdu.

---

1. Le ministère du Travail qui a rendu public les résultats globaux des élections aux comités pour 1981 mais non leur ventilation par collège, indique une accentuation des tendances enregistrées précédemment: CGT: 32 % (− 2,4 par rapport à 1979), CFDT: 22,3 % (+ 1,8), FO: 9,9 % (+ 0,2), CFTC: 2,9 % (− 0,2), CGC: 6,1 % (+ 0,3), divers: 4,1 % (− 0,5), non syndiqués: 22,2 % (+ 1).
2. Selon l'effectif de cadres dans l'entreprise ceux-ci sont répartis soit dans un seul collège, dit «deuxième» qui regroupe la totalité de l'encadrement, soit dans deux: le «deuxième» pour la maîtrise et les techniciens, le «troisième» pour les cadres, au sens strict.

Force ouvrière, qui a également subi une récession non négligeable après 1968 est, depuis 1970, en progression constante. Au total, elle a gagné 1,8 point entre 1966-67 et 1978-79 (10,6 contre 7,8 %).

Comme dans le collège des ouvriers et employés mais avec une moyenne de voix deux fois plus élevée (environ 10 %), les syndicats autonomes et indépendants, après un essor sensible au lendemain de 1968 sont en recul. Ils ne représentent que 4 à 8 % des voix suivant les années.

Les non-syndiqués sont en recul assez régulier depuis 1973-1974 et, en moyenne, ils n'obtiennent que le cinquième des suffrages contre le quart en 1966-67.

Une équation globale: CGT = CFDT + FO + CFTC

Quelles modifications amènerait la prise en compte des 5 millions de salariés du secteur public: fonction publique, entreprises nationalisées, collectivités locales?

Dans la fonction publique, la présence de la FEN dans le département ministériel qui compte le plus de fonctionnaires (1 million environ) rend difficile la comparaison. Bien que les grandes confédérations du secteur privé soient présentes — mais de façon inégale — dans les différentes catégories du ministère de l'Éducation nationale, il semble préférable de ne pas tenir compte de ce département ministériel, car la totalisation des voix de la FEN par rapport au total des salariés est dépourvue de signification.

Les résultats aux élections pour les commissions paritaires de la fonction publique au cours de la période 1977-79, aboutissent aux résultats suivants en ce qui concerne l'audience des différences organisations [1]:

---

1. Suivant une autre source (élections aux CAP de 1978 à 1980 publiées par le ministère de la fonction publique et rapportées par «Le Monde» du 27 janvier 1982), les pourcentages établis sur 1 345 943 votants seraient de 29,7 % pour la FEN, 20,7 % pour la CGT, 16,5 % pour la CFDT et 15,3 % pour FO. Sans doute les différences entre les deux statistiques s'expliquent-elles par le fait que les personnels non contractuels et ceux des collectivités locales ne sont pas pris en compte dans cette dernière statistique.

TABLEAU X — AUDIENCE DES DIFFÉRENTS SYNDICATS
DANS LA FONCTION PUBLIQUE

Éducation nationale exclue		Éducation nationale inclue	
Exprimés	1 277 411	Exprimés	1 934 070
CGT	36,20 %	CGT	26,5 %
CFDT	19,20 %	CFDT	18,5 %
FO	26,09 %	FO	17,9 %
CFTC	3,90 %	CFTC	4,3 %
CGC	0,60 %	CGC	0,9 %
divers	13,20 %	FEN	19,2 %
		divers	12,4 %

Source: Notes et documents du BRAEC, n° 17, septembre 1981 « l'Audience des syndicats. 10 ans d'élections professionnelles », p. 63.

Dans le secteur nationalisé, le rapport des forces serait le suivant [1] :

TABLEAU XI — AUDIENCE DES DIFFÉRENTS SYNDICATS
DANS LE SECTEUR NATIONALISÉ

exprimés	438 691
CGT	53,0 %
CFDT	21,4 %
FO	9,9 %
CFTC	6,0 %
CGC	3,0 %
divers	6,4 %

Tous collèges et tous secteurs confondus et en pondérant les résultats des différents secteurs (privé - public) par leurs effectifs, l'ordre de grandeur de l'influence de chaque confédération peut être ainsi établi au cours de la période 1977/1980 :

TABLEAU XII — BILAN D'ENSEMBLE DE L'AUDIENCE
DE CHAQUE SYNDICAT

CGT	38,0 %
CFDT	20,5 %
CGT-FO	14,5 %
CFTC	3,5 %
CGC	4,5 %
autres syndicats et non syndiqués	19,0 %

1. Selon nos propres calculs, sur les quatre plus grandes entreprises publiques à statut (EDF/GDF, SNCF, RATP, charbonnages), les pourcentages, très voisins, sont les suivants : CGT, 54,5 % ; CFDT, 18 % ; FO, 12 % ; CFTC, 6 % ; CGC, 1,5 % ; divers, 7 %.

Au total, dans les élections professionnelles, quatre électeurs sur cinq votent pour une des cinq grandes confédérations et la CGT, à elle seule, recueille pratiquement autant de voix que toutes les autres organisations ouvrières réunies.

Par rapport à l'enquête du ministère du Travail, les différences essentielles concernent :

• les listes de non-syndiqués, inexistantes dans le secteur nationalisé et de la fonction publique, compte tenu des règles de scrutin.

• Force ouvrière que sa représentativité dans la fonction publique fait progresser très sensiblement sans toutefois rejoindre la CFDT dont le score n'est guère modifié ;

• la CGC qui, pratiquement absente dans le secteur public (et notamment la fonction publique), subit un recul important ;

• de façon accessoire, la forte présence des syndicats catégoriels à la SNCF et à la RATP entraîne un léger relèvement de leur pourcentage global d'influence, étant indiqué que dans cette statistique globale les syndicats catégoriels sont réunis avec les non-syndiqués du secteur privé.

III - Les disparités sectorielles de l'influence syndicale

Le rapport des forces au niveau national recouvre de fortes disparités suivant les branches, aussi bien en ce qui concerne la répartition actuelle des voix que leur évolution.

Complémentarité et concurrence entre organisations

Pour chaque confédération, les zones de force et de faiblesse sont les suivantes [1] :

• *la CGT* domine largement dans les secteurs de la vieille industrialisation, essentiellement la métallurgie (production et première transforma-

---

1. Les résultats par branches professionnelles et par régions sont régulièrement publiés par le ministère du Travail. Il n'apparaît pas utile ici de les reprendre en détail. Voir les résultats complets dans la *Revue française des affaires sociales*.
— Afin d'apprécier le poids spécifique de chaque branche, indiquons que, selon les résultats du ministère, en 1976 par exemple, 6 branches comportaient plus de 150 000 inscrits et 7 entre 100 000 et 150 000.
— Plus de 150 000 inscrits : construction de machines, construction électrique, bâtiment et travaux publics, commerces non alimentaires, banques - assurances - agences financières, professions libérales.
— Entre 100 000 et 150 000 : production des métaux, transformation des métaux, mécanique générale, chimie, textile, industries agricoles et alimentaires, transports.

tion des métaux, construction électrique) ainsi que dans les branches héritière des métiers traditionnels (verre et céramique, polygraphie, papier-carton). Là, elle recueille près de 60 % des voix dans le premier collège. En revanche, ses zones de faiblesse se situent essentiellement dans le tertiaire (banques - assurances, professions libérales et administratives), dans les services (notamment les commerces alimentaires et non alimentaires) et les secteurs dispersés, sans tradition industrielle ni même ouvrière (agriculture - pêche - forêts, hygiène et services domestiques). Ses résultats y sont inférieurs au tiers des voix.

• Les implantations de *la CFDT* sont loin de correspondre aux « creux » de la CGT. Sans doute est-elle particulièrement forte dans une partie du tertiaire (banques - assurances, professions libérales et administratives) et dans certaines entreprises liées aux évolutions technologiques modernes (pétrole, chimie, construction électrique). Mais ses scores sont également assez élevés dans une partie de la métallurgie où elle concurrence la CGT (production des métaux, construction de machines) et dans certains secteurs traditionnels comme le textile où sa force est sans doute due à son implantation ancienne dans le nord, l'est et la région lyonnaise. Les branches où son influence est la plus faible sont aussi celles où la CGT est la plus forte : verre-céramique, première transformation des métaux, industrie polygraphique (chez les ouvriers surtout), papier-carton. D'autres secteurs cependant où ses scores ne dépassent guère 10 % ne sont pas nécessairement des fiefs cégétistes : bâtiment et travaux publics, spectacles et, dans le deuxième collège, les industries agricoles et alimentaires, le bois ameublement, les commerces alimentaires ou la mécanique générale.

• La carte professionnelle *de FO* est assez peu contrastée. Dans cinq branches, elle avoisine ou dépasse régulièrement 10 % des voix dans tous les collèges : les transports, le commerce alimentaire, les banques-assurances et les professions libérales et administratives. A l'opposé, ses résultats les plus médiocres sont atteints dans une partie de la métallurgie (première transformation des métaux, mécanique générale), le verre-céramique, le bois ameublement, le papier-carton et l'hygiène - services domestiques.

• Les meilleures performances *des non-syndiqués* se situent évidemment dans les branches où prédominent les petites entreprises dépourvues de négociations collectives régulières et réelles (les différents secteurs du commerce, l'hygiène et les services domestiques) et également là où la main-d'œuvre possède un caractère temporaire (bâtiment et travaux publics, bois). A l'opposé, leurs résultats sont les plus faibles dans les secteurs fortement structurés tels que le pétrole, la production des métaux, la construction de machines, les banques et assurances.

Des transferts complexes

Les évolutions par branche témoignent de nombreuses distorsions par rapport à la tendance globale. Parfois, les branches évoluent à l'inverse du mouvement national; parfois, une progression dans le collège des ouvriers et employés peut s'accompagner d'une perte dans l'encadrement — et vice-versa — quelle que soit par ailleurs l'évolution globale. Dans de nombreux secteurs enfin, l'interprétation est aléatoire en raison des différences d'évolutions entre années paires et impaires.

En effet, quelle que puisse être l'homogénéité des situations au sein d'une même branche — ce qui n'est pas toujours le cas avec les regroupements souvent disparates du ministère du Travail — les facteurs spécifiques aux entreprises expliquent qu'au gré des années les évolutions sont contradictoires à l'intérieur de ces branches [1].

• *La CGT* est la confédération dont l'évolution est la plus typée. En recul permanent dans le collège des ouvriers et employés, elle a progressé dans ceux de l'encadrement entre 1971 et 1976 après avoir beaucoup décliné entre 1966 et 1970. A nouveau, elle semble perdre des voix chaque année.

Entre 1966/1967 et 1978/79, la CGT n'a décliné, pour l'ensemble des collèges, que dans une seule branche: les transports.

— Dans le collège des ouvriers et employés, ce recul affecte 7 branches en sus de la précédente. Ce recul concerne surtout les branches industrielles anciennes et, à un moindre degré, le tertiaire administratif [2].

Dans trois branches, en revanche, la CGT gagne des points: spectacles, combustibles-minéraux solides, pêche-forêts-agriculture.

---

1. Par suite d'un incident technique une partie des résultats de l'année 1980 n'a pas été prise en compte par le traitement statistique du ministère du Travail. Ce dernier considère que les résultats globaux ne sont en rien affectés par cet incident. Cependant, au niveau des branches, il nous a paru préférable de faire porter la comparaison avec 1966/67 sur les deux années précédentes 1978 et 1979.
2. Les pertes sont supérieures à la moyenne nationale dans le pétrole et les carburants liquides, l'extraction de minerais divers et la construction de machines. Elles sont inférieures à la moyenne nationale dans la production des métaux, le textile, l'habillement, les banques-assurances.

— Dans l'encadrement, le bilan est balancé pour la même période : des progrès sont enregistrés dans 16 branches appartenant presque toutes au secteur industriel. Le bilan est négatif cependant dans 8 branches [1].

• L'évolution positive globale de *la CFDT* (tous collèges réunis) recouvre des disparités suivant les branches et les collèges.

Dans douze branches la CFDT progresse dans tous les collèges alors que pourtant elle enregistre sur le plan général un très léger recul dans l'encadrement ($-$ 0,6 point entre 1966/67 et 1978/79 contre + 2,6 points parmi les employés et ouvriers). Il s'agit aussi bien de branches industrielles (les unes modernes, les autres anciennes) que du secteur administratif. Par ailleurs, en sens inverse, la CFDT perd des voix dans tous les collèges de quatre branches appartenant pour l'essentiel à des activités traditionnelles en situation difficile [2].

En dehors de ces mouvements généraux la CFDT est en progrès parmi les ouvriers et employés, dans cinq branches et en recul dans une seule. Pour l'encadrement les pertes affectent cinq branches industrielles et les progrès concernent le même nombre ; elles sont à la fois industrielles et administratives [3].

• *FO*, qui progresse particulièrement dans l'encadrement, bénéficie de gains réguliers dans certains secteurs industriels mais enregistre également des pertes dans un nombre plus élevé de branches mais dont les effectifs sont moins nombreux. Ces gains sont le signe d'une transformation lente mais profonde de Force ouvrière qui prend progressivement pied dans les entreprises privées du secteur industriel mais enregis-

---

1. *Déclin :* combustibles-minéraux solides, mécanique générale, construction de machines, caoutchouc, polygraphie, transports, commerces agricoles et alimentaires, banques-assurances.
Progrès : eau-gaz-électricité, pétrole-carburants liquides, extraction de minerais divers, production des métaux, première transformation des métaux, verre-céramique, bâtiment et travaux publics, chimie, textile, cuirs et peaux, industries agricoles et alimentaires, papier carton, commerces non alimentaires, spectacles, professions libérales, industries diverses.
On observera que dans le pétrole-carburants liquides et l'extraction de minerais divers, la CGT décline dans le premier collège et progresse dans l'encadrement. En sens inverse, elle progresse chez les ouvriers et employés des combustibles-minéraux solides et recule dans l'encadrement de cette même branche.
2. *Progression générale de la CFDT :* eau-gaz-électricité, pétrole-carburants liquides, première transformation des métaux, bâtiment-travaux publics, chimie, industries agro-alimentaires, bois-ameublement, polygraphie, industries diverses, commerces non alimentaires, banques-assurances, spectacles.
Déclin général de la CFDT : production des métaux, caoutchouc, textile, hygiène et services domestiques.
3. *Pour le collège des ouvriers et employés* les branches en progrès sont : extraction de minerais divers, construction de machines, construction électrique, verre-céramique, transports. Le recul affecte les commerces agricoles et alimentaires.
Pour l'encadrement les progrès concernent les combustibles-minéraux solides, l'habillement, les cuirs et peaux, les commerces agricoles et alimentaires, les professions libérales tandis que les pertes affectent la mécanique générale, la construction électrique, le verre-céramique, le papier-carton, les transports.

tre un léger recul dans le tertiaire (banques - assurances) et particulièrement les services [1].

• L'évolution de *la CGC* depuis 1966/67 se solde par une très légère
augmentation d'influence (+ 1,5 point), après un boom au lendemain
de 1968 suivi d'une récession entre 1970 et 1976. Les gains de la CGC ne
sont pas uniformes car à côté des 17 branches où elle progresse elle subit
des pertes dans 12 autres situées aussi bien dans l'industrie que les
services [2].

• Les voix recueillies par les *non-syndiqués* amalgament sans doute des
situations fort différentes : l'absence de candidats syndiqués peut résul-
ter du désintérêt des salariés ou de la pression des employeurs. Cette
hétérogénéité interdit d'émettre une explication globale sur la progression du vote en faveur des non-syndiqués dans le premier collège et son
recul dans les deuxième et troisième. De même, l'analyse par branche ne
semble pas revêtir de signification particulière.

Au total, l'analyse par branches apporte plus que des nuances à
l'hypothèse d'un déclin systématique de la CGT, particulièrement chez
les ouvriers et employés au profit de l'ensemble des autres organisations
y compris les non-syndiqués. Des concommitances existent mais elles
sont loin d'être la règle.

Rares sont les cas où le déclin d'une organisation bénéficie complètement à une autre. Les voix se répartissent le plus souvent sur toutes les
autres.

La notion de transfert de voix utilisée habituellement à propos des
élections politiques doit être maniée avec circonspection : les transferts
sont rarement simples et directs ; les résultats globaux sont la somme

---

1. — *Progression générale de FO:* bâtiment-travaux publics, papier-carton.
— *Recul général de FO:* extraction de minerais, transports, commerces agricoles et alimentaires, spectacles, hygiène et services, professions libérales.
— *Pour les ouvriers et employés* les gains se situent par ailleurs dans la construction de machines, la
construction électrique et la caoutchouc tandis que les pertes affectent le pétrole-carburants liquides, le
verre-céramique, les cuirs et peaux, le bois-ameublement, les industries diverses et les banques-
assurances.
— *Dans l'encadrement* les progrès concernent neuf branches (pétrole-carburants liquides,
combustibles-minéraux solides, pêche-forêts-agriculture, mécanique générale, construction de machines, verre-céramique, chimie, textile, bois-ameublement) et les pertes trois (eau-gaz-électricité, caoutchouc, polygraphie).
2. *Progrès CGC* supérieurs à la moyenne nationale : eau-gaz-électricité, première transformation des
métaux, mécanique générale, construction de machines, construction électrique, chimie, caoutchouc,
textile, habillement, cuirs et peaux, industries agricoles et alimentaires, banques-assurances, spectacles,
professions libérales.
Pertes CGC: pétrole-carburants liquides, combustibles minéraux solides, extraction de minerais divers,
production des métaux, verre céramique, bâtiment et travaux publics, bois-ameublement, papier-
carton, polygraphie, commerces non alimentaires, hygiène-services domestiques.

d'élections d'entreprises qui ont chacune leur spécificité et leur logique interne même si la conjoncture économique et sociale les influence. Les évolutions par branches sont la résultante de mouvements sans doute encore plus complexes au niveau des entreprises.

Tous les cas théoriques de transferts de voix d'une ou plusieurs organisations en faveur également d'une ou plusieurs autres existent, avec parfois des gains ou des reculs généraux liés aux changements d'importance des voix des non-syndiqués.

Ainsi, le recul de la CGT profite assez globalement à la CFDT chez les ouvriers et employés : cette dernière bénéficie d'une avancée dans les quatre branches où la CGT recule fortement (transports, pétrole, extraction de minerais divers, construction de machines) mais il n'y a aucune règle générale : la CFDT recule parfois dans les mêmes branches que la CGT (production des métaux et textile). Par ailleurs, parfois FO gagne en même temps que la CFDT, parfois elle recule comme elle. Il en est de même pour les organisations catégorielles et indépendantes [1].

Là où la CGT progresse, c'est parfois en commun avec la CFDT et Force ouvrière, aux dépens des non-syndiqués (deuxième collège chimie), parfois avec Force ouvrière et la CGC (deuxième collège mécanique générale, construction électrique).

En revanche, une relation d'exclusion existe entre CGT et CFDT : leur situation de concurrence fait que les progrès de l'une se font presque toujours aux dépens de l'autre.

IV - Les structures industrielles et l'audience des syndicats

Les facteurs explicatifs des progrès ou des reculs des organisations syndicales oscillent généralement entre deux pôles :

— la référence à une doctrine ou à une stratégie globale jugées, *a priori*, adaptées ou non à la société : ainsi le déclin relatif de la CGT est-il souvent étayé par des considérations sur la désuétude de la lutte des classes ou des liens avec le parti communiste. La tentation est toujours alors de se référer à l'adéquation par rapport aux idées dominantes ;

---

1. Dans les quatre branches précitées le mouvement est le suivant pour les pertes CGT :
transports : gains CFDT + autres syndicats ; pertes FO.
pétrole : gains CFDT + autres syndicats + non-syndiqués ; pertes FO.
minerais divers : gains CFDT + autres syndicats + non-syndiqués + pertes FO.
construction de machines : gains CFDT + FO ; pertes des non-syndiqués et autres syndicats.

— le renvoi à des événements particuliers; les résultats d'une élection sont expliqués par le cumul des détails liés aux caractéristiques de la consultation: la personnalité des militants, l'attitude des syndicats au cours des grèves ou des négociations, une prise de position inattendue, sont alors mis en avant pour déterminer les raisons d'une tendance de fond [1].

Ces explications sont assurément pertinentes. Mais elles ne rendent pas compte des différences d'évolution entre les types d'activité économique. Même si elles ne constituent pas des ensembles homogènes, les branches sont de bons révélateurs de l'existence d'autres facteurs explicatifs que ceux qui pêchent par excès de généralisme et de particularisme.

L'influence syndicale dépend également de facteurs structurels à évolution lente, liés à la nature même de la société industrielle. Le niveau des qualifications, la répartition de la main-d'œuvre par sexe, la taille des établissements, les modalités d'organisation des entreprises et leur technologie sont, parmi bien d'autres, des déterminants de la force de chaque syndicat.

A titre d'exemple, deux éléments peuvent être mis en avant pour expliquer l'évolution des suffrages: la taille des établissements, la structure des qualifications.

L'importance des non-syndiqués dans les petits établissements

Pour les élections professionnelles, le phénomène marquant de la dernière décennie est moins la concentration des entreprises que la mise en place d'institutions de représentation dans les petites. Sans doute, le nombre des petites entreprises a-t-il diminué en France et la taille moyenne des établissements a-t-elle augmenté [2].

---

1. Ainsi, par exemple, en 1956, le refus de la CGT de condamner l'intervention soviétique en Hongrie lui a fait perdre temporairement quelques points dans les élections professionnelles. Après 1968, toutes les organisations ont pâti des événements de mai au profit des listes autonomes. Régulièrement, tout appel syndical à un engagement politique lors des élections conduit à s'interroger sur ses effets mobilisateurs ou de rejet.
2. Ainsi, observe François Sellier «Dans l'ensemble des établissements de plus de 10 salariés, on note, de 1906 à 1966, une stabilité surprenante de la concentration des salariés, la proportion travaillant dans les établissements de plus de 500 salariés, qui était passée de 29 % à 33 % entre 1906 à 1926, se retrouve à 30 % en 1966. Elle augmente entre 1966 et 1978 (de 30 % à 35 % environ).
A la stabilité relative de la concentration dans les établissements industriels de plus de 10 salariés jusqu'en 1966 s'oppose un bouleversement à la base de la pyramide dans les établissements de moins de 10 salariés. Ce bouleversement, c'est la «disparition de l'artisanat». La population active employée dans les établissements de moins de 10 salariés (ou sans salarié) passe entre 1906 et 1978 de 58 % à 16 %». Cf. *les salariés en France*, Paris, PUF, «Que sais-je?», 1979, p. 26 et 27.

Mais les enquêtes effectuées par le ministère du Travail montrent que le mouvement de création de comités d'entreprises a, au cours des dernières années, essentiellement concerné les petites entreprises : en janvier 1980, 23,8 % des entreprises de 50 à 99 salariés n'avaient pas de comités d'entreprises contre 40,8 en 1975 [1]. Or les scores de tous les syndicats, y compris les autonomes, sont inférieurs à la moyenne nationale dans les établissements de moins de 200 salariés. Les non-syndiqués ont, au contraire, des résultats régulièrement décroissants suivant la taille des établissements : dans l'ensemble des collèges, par exemple, le pourcentage des voix recueillies par les listes de non-syndiqués en 1979 passe de 48,2 % dans les établissements de 50 à 100 salariés à 2 % dans ceux de plus de 1 000 (chez les ouvriers et employés ce pourcentage est même inférieur à 1 %).

• *Pour la CGT et FO,* chez les ouvriers et employés, les résultats sont constamment inférieurs à la moyenne nationale dans les établissements de moins de 200 salariés. Dans le deuxième et troisième collège, la tendance ne s'inverse qu'au-delà du seuil 500/999.

• La situation de *la CFDT* est semblable à celle des deux autres confédérations dans l'encadrement ; toutefois, dans le premier collège, ce n'est qu'à partir du seuil des 500/999 salariés que les résultats sont supérieurs à la moyenne nationale.

• Pour *la CGC,* la rupture s'établit au seuil des 200/499.

• Les *autres syndicats* (autonomes, indépendants) ne dépassent la moyenne nationale que dans les grands établissements de plus de 1 000. Deux explications peuvent être envisagées :

— Les syndicats indépendants comme la CSL ne sont guère implantés que dans quelques entreprises de l'automobile dont les effectifs sont élevés.

— Le syndicalisme catégoriel suppose des entreprises de taille importante pour qu'un groupe de même statut dispose de la capacité de s'organiser en dehors des grandes confédérations.

La pénétration progressive des syndicats dans les petites entreprises

Les effets du développement des comités dans les petites et moyennes entreprises ne sont pas uniformes suivant les organisations. Contraire-

---

1. Rappelons les pourcentages moyens des entreprises assujetties n'ayant pas de comité d'entreprise : 16,7 % en 1980 ; 27,3 % en 1975.
Les pourcentages seraient encore plus significatifs si les créations de comités étaient comptabilisées depuis 1968.

ment à une idée commune, l'évolution des suffrages n'est pas toujours défavorable aux grandes confédérations dans les petites entreprises. Tout semble même se passer comme si, depuis 1971/1972, les grandes organisations regagnaient du terrain après en avoir perdu après les événements de 1968, lorsque se sont multipliées les créations de comités, ainsi que les listes autonomes et non-syndiqués.

• Le déclin de *la CGT* a surtout concerné les entreprises de plus de mille salariés [1] et, à l'autre extrémité, celles de moins de 100. C'est dans les entreprises de 200 à 500 salariés qu'elle a le mieux résisté. Peut-être cette situation est-elle due au fait que plus la taille des établissements s'accroît plus les chances sont grandes que toutes les organisations syndicales soient présentes et que les suffrages se dispersent aux dépens de la CGT.

• *La CFDT* connaît une évolution comparable : ses gains ont été moins sensibles dans les grands établissements que dans les petits. Pratiquement sa progression est presque quatre fois plus forte dans les unités de moins de 200 salariés que dans celles de plus de 1 000 salariés.

• *Force ouvrière* enregistre une évolution particulièrement originale et importante pour l'avenir si elle se confirme : son renforcement dans tous les collèges concerne exclusivement les établissements de plus de 200 salariés et notamment ceux de plus de mille, alors qu'elle recule dans les établissements de 50 à 200 salariés. On trouve là indirectement confirmation de son développement dans le secteur industriel puisque les grands établissements y sont plus nombreux que dans les autres secteurs d'activité.

• *Les non-syndiqués,* de leur côté, ont progressé dans les entreprises de 50 à 100 salariés, parallèlement au mouvement de création des comités depuis 1968, mais ont vu leur importance diminuer dans tous les établissements de plus de 200 salariés.

Au total, l'effet de la taille des établissements sur les élections est de deux ordres :

— Structurellement, les résultats de tous les syndicats sont inférieurs à leur moyenne nationale dans les entreprises petites et moyennes ;

— En évolution, la CGT résiste mieux et la CFDT progresse devantage dans les petites et moyennes entreprises alors que FO se renforce surtout dans les grandes entreprises.

---

1. Voir en ce sens la répartition des sections syndicales (chapitre 1). La CGT qui, toutes entreprises confondues, a 38,7 % du total des sections syndicales n'en a que 26,5 % dans les entreprises de plus de mille salariés (données de 1979).

La diminution relative des effectifs ouvriers

La transformation de la composition de la population salariée fournit une seconde clé pour la compréhension de l'évolution des résultats des élections. De 1968 à 1981 en effet, cette structure a évolué, pour le secteur privé, ainsi que le montre le tableau ci-après :

TABLEAU XIII — ÉVOLUTION DE LA COMPOSITION
DE LA POPULATION SALARIÉE (SECTEUR PRIVÉ)

	1968 (%)	1981 (%)
Salariés agricoles	4,9	2,3
Cadres supérieurs	3,9	6,9
Cadres moyens	9,5	14,1
Employés	16,5	18,9
Ouvriers	56,5	49,4
Services	8	7,7
Autres	0,3	0,4
	11 533 760	12 360 036

Source : Enquête sur l'emploi - Série D - INSEE - Numéro 89 - (sont exclus : les apprentis et les travailleurs à domicile).

Le recul de la CGT, important surtout dans les branches industrielles, est lié à la diminution de la part relative des ouvriers dans la population salariée. Ainsi, dans plusieurs branches (livre, verre, mines, sidérurgie), la CGT symbolise la défense des métiers et des professionnels. La disparition des anciennes qualifications explique vraisemblablement son recul : sa base ancienne s'effrite sans qu'elle bénéficie du même soutien auprès des nouvelles catégories socioprofessionnelles. Cependant, aucune organisation ne s'assimile vraiment à une profession (sauf dans quelques cas comme le livre ou les dockers) et l'évolution des résultats des élections professionnelles ne peut s'expliquer uniquement par la modification de la composition du groupe des salariés [1]. Des hypothèses plus fines sont nécessaires :

• Les résultats du premier collège ne correspondent pas aux seuls ouvriers.

Dans le tertiaire il comprend des employés et dans beaucoup de branches le premier collège comporte à la fois des employés et des ouvriers.

---

1. Le développement très rapide du nombre des cadres ne s'est pas accompagné d'un progrès sensible de la CGC à la mesure de cette évolution.

La CGT a ses meilleurs scores là où le premier collège ne s'identifie qu'aux ouvriers : 54,7 % des voix en 1978 contre 31,7 % là où il n'y a que des employés (moyenne générale 44,9 %). A l'inverse, la CFDT recueille 27,4 % des suffrages des employés et 19,8 % des ouvriers (moyenne générale 21,1 %). A Force ouvrière, les scores varient du simple au double (8 % chez les ouvriers, 16,6 % chez les employés avec une moyenne de 9,6 %).

• A l'intérieur du groupe ouvrier, les qualifications se sont modifiées. Toutefois, la notion de qualification est floue et disparate suivant les branches [1]. Elle ne se confond nullement avec celle du métier. L'hypothèse d'une déqualification progressive de la main-d'œuvre qui contribuerait au recul de la CGT doit être envisagée avec circonspection, car globalement, on observe plutôt une progression des qualifications entre 1968 et 1975 pour l'ensemble des *ouvriers*.

Ainsi, pour cette période, les effectifs des contremaîtres ont progressé de 2,9 % par an, ceux des ouvriers qualifiés de 1,8 % alors que pour les O.S. et les manœuvres la progression n'a été que de 1,4 % et 0,1 % (0,9 % pour l'ensemble des ouvriers).

Si on classe d'ailleurs, les branches professionnelles en fonction de leur part plus ou moins grande de salariés qualifiés, il n'existe pas de corrélation entre ce classement et les gains ou pertes de chaque organisation [2].

Sans doute la nomenclature par secteur d'activités économiques recouvre-t-elle des sous-ensembles hétérogènes, mais surtout les qualifications ne constituent qu'un facteur explicatif parmi d'autres :

• L'organisation du travail (travail à la chaîne ou posté, système d'encadrement, centralisation ou décentralisation, nature des tâches

---

1. La qualification est appréciée traditionnellement en France en termes de niveau de formation. Dans les nouvelles grilles de classification (métallurgie) elle comporte d'autres éléments de nature différente : responsabilités exercées, nature du travail, type d'exigences pour le poste de travail. Une qualification n'est finalement pas autre chose que la valeur sociale accordée à un travail à un moment donné. Et, bien entendu, le «vécu» d'un travail ne correspond pas toujours à sa classification officielle.

2. Par ordre de qualification progressive, le classement des branches est le suivant : hygiène et services domestiques (71,9 % de salariés sans qualification particulière), bois, ameublement (53,6), industries diverses (51,6), papier carton (47,9), céramique (47,9), construction électrique (42,4), mécanique générale (42,3), industries agricoles et alimentaires (41,8), verre (37,8), première transformation des métaux (37,5), construction de machines (36,9), production de métaux (36,2), cuirs et peaux (35,7), textile (35,6), commerce agricole et alimentaire (35), pêche, forêts, agriculture (34), combustibles minéraux solides (31,9), chimie (31,5), professions libérales (28,9), extraction de minerais (25,6), commerce non-alimentaire (23,6), habillement (21,5), industrie polygraphique (21,3), transports (17,1), spectacles (15,4), banques, assurances (14,1), pétrole, carburants liquides (8,6), eau-gaz-électricité (4,9). Source : «Memento Statistique sur le travail». Ministère du Travail 1977. Cette classification est déjà ancienne mais homogène avec les résultats d'élections par branches.

effectuées), la situation financière de l'entreprise, ses liens avec d'autres au sein d'un groupe, l'évolution de l'emploi, la répartition de la main-d'œuvre par sexe, et tout ce qui caractérise la structure d'une entreprise devrait être pris en compte dans l'analyse des forces syndicales [1] ;

• Les rapports des forces entre organisations conditionnent eux-mêmes en partie l'évolution des qualifications, surtout si on tient compte de ce que ce rapport est lié lui-même à certains modes d'industrialisation, d'urbanisation et de vie sociale et politique : l'entreprise et la branche ne peuvent être isolés de leur environnement surtout dans la mesure où certaines activités s'identifient à des régions.

V - La substitution de l'adhérent par l'électeur

Même si elle ne peut être affinée autant qu'il serait souhaitable, l'analyse des résultats des élections professionnelles autorise quelques conclusions sur l'influence des syndicats en France.

Ni la structure des résultats, ni leur évolution ne correspondent au mouvement des adhésions. Globalement, l'influence des syndicats s'est renforcée et après un bref essor, les listes indépendantes et catégorielles se sont stabilisées à un niveau très modeste. Les syndicats ont su maîtriser le mouvement important de création des comités d'entreprises depuis 1968.

Surtout dans les petites et moyennes entreprises, l'institutionalisation des syndicats par l'intermédiaire des élections professionnelles est une des caractéristiques les plus originales de leur histoire récente. Les élections font plus qu'enregistrer la représentativité des organisations, elles constituent un facteur de leur renforcement qui n'a pas encore produit tous ses effets.

A l'intérieur des syndicats, une redistribution des forces s'opère : elle est lente et loin d'être généralisée à tous les secteurs. La CFDT et FO progressent, la CGT recule, mais moins dans l'encadrement que chez les ouvriers et employés. Le mouvement général s'accompagne d'évolu-

---

1. Il n'existe aucune donnée statistique permettant cette évaluation. A titre d'exemple, l'enquête sur «*l'ouvrier français en 1970*» indiquait que proportionnellement, les ouvriers estimant leur secteur d'activité en délcin étaient plus nombreux à voter pour la CGT que ceux qui considéraient leur branche en expansion (voir page 146). Tout se passe comme si le syndicalisme était davantage considéré comme une force de défense des droits acquis, que comme un moyen d'accélérer le changement.

tions parfois contradictoires au niveau des branches. De plus, sur certaines courtes périodes, les mouvements s'inversent. Ainsi, la CGT a progressé dans l'encadrement entre 1971/72 et 1977/78. En effet, les différents facteurs qui sont susceptibles d'influencer ces évolutions (taille des établissements, composition de la main-d'œuvre, organisation des entreprises, stratégie des syndicats) sont loin d'agir tous dans le même sens et avec la même intensité.

Cette redistribution n'est sans doute pas séparable du phénomène capital de diversification de la classe ouvrière. Sans partager les analyses excessives de Serge Mallet décrivant une «nouvelle classe ouvrière» composée de techniciens, de cadres, voire d'étudiants mais non d'ouvriers, la classe ouvrière s'est diversifiée non seulement dans sa composition mais aussi dans les statuts des salariés. A côté des césures classiques à partir des niveaux de qualification, de nouvelles formes de statut et d'emploi ont acquis une importance accrue (travailleurs intérimaires, en sous-traitance, titulaires de contrats à durée déterminée ou à temps partiel, vacataires...) et contribuent à créer de nouvelles frontières entre la classe ouvrière traditionnelle et des catégories plus diversifiées, moins homogènes économiquement et culturellement. Le phénomène important, de ce point de vue, est moins le recul de la CGT que l'aptitude du mouvement syndical dans son ensemble à encadrer ces salariés d'un type nouveau, avec, il est vrai, le concours des pouvoirs publics depuis mai 1981. La reconstitution de la collectivité de travail n'est-elle pas un des thèmes forts du rapport Auroux [1] ?

Le syndicalisme catégoriel et indépendant s'est révélé incapable au total à capter des clientèles pourtant peu représentées au sein des grandes confédérations.

De plus en plus, les élections professionnelles constituent un facteur déterminant de la vie syndicale. Dès lors tout le fonctionnement des organisations est progressivement, mais profondément remis en cause : les liens d'un syndicat avec des électeurs sympathisants ne sont pas de même nature qu'avec des adhérents. Sa capacité d'encadrer n'en est pas nécessairement diminuée mais elle devra à l'avenir prendre de nouvelles formes.

---

1. Sur un plan technique le texte de la loi sur le développement des institutions de représentation des salariés vise, par exemple, à faire prendre en compte dans les effectifs permanents certaines catégories de salariés «extérieurs» à l'entreprise.

Avec les institutions de représentation, les confédérations disposent d'ailleurs d'un potentiel important. En effet en 1979/80 on comptait près de 40 000 délégués syndicaux, 110 000 élus de comités d'entreprise (dont les deux-tiers pour les syndicats représentatifs) et sans doute plus de 200 000 délégués du personnel. En tenant compte des cumuls de mandats, mais en ne comptabilisant pas les fonctions militantes non protégées, les syndicats français disposent vraisemblablement d'au moins un militant pour 15 à 20 salariés dans le secteur privé. Le renforcement de cette forme de représentation institutionnelle se fait peut-être aux dépens des adhésions perçues comme moins nécessaires pas les salariés.

Comment faire pour que l'organisation prenne en compte le point de vue (mais aussi puisse faire prévaloir le sien) de ceux qui demeurent en dehors d'elle et ne participent pas à ses instances de décisions? Comment assurer l'indépendance du syndicat soutenu électoralement mais non financièrement par les salariés?

Naguère Jean-Daniel Reynaud se demandait si le syndicat n'allait pas devenir une sorte de service public [1]. Sans doute les syndicats français conservent-ils une forte capacité de contestation et une idéologie marquée par leur origine ouvrière. Mais ils ont élargi considérablement leurs assises et représentent une réalité sociale fragmentée en groupes divers. Le paradoxe est que pèse de plus en plus dans leur développement le poids de ceux qui ne le soutiennent que par électeurs interposés.

---

1. «Faut-il conclure à la fin du mouvement ouvrier et à une transformation du mouvement syndical vers une forme de service semi-public qui aurait à gérer les intérêts des salariés? Séduisante pour les U.S.A. cette hypothèse est moins convaincante en Europe», *Bulletin de l'Institut International d'Études des Sociales*, n° 4, 1968.

4. Les élections prud'homales : une nouvelle légitimité syndicale

Tout comme celles du 12 décembre 1979, les élections prud'homales du 8 décembre 1982 qui ont concerné plus de 13,5 millions de salariés, ont constitué un test incontestable de la représentativité non seulement de chaque confédération mais du mouvement syndical dans son ensemble. Elles ont confirmé la plupart des hypothèses formulées à l'occasion tant du précédent scrutin que des élections professionnelles. Cette constatation est d'autant moins banale qu'elle atteste que ni le changement politique ni l'évolution de la situation économique n'affectent fondamentalement l'évolution du rapport des forces entre les organisations. A l'évidence, les causes structurelles, qu'elles soient liées aux structures industrielles ou aux transformations sociales et culturelles, sont plus déterminantes pour expliquer la situation des syndicats en France que les données conjoncturelles. En cela les syndicats sont un facteur étonnant de stabilité de la société française.

A l'image des différents types d'élections politiques (municipales, cantonales, législatives, présidentielles) qui ont chacune leur spécificité, les élections sociales ne sont pas interchangeables. Indépendamment des différences d'électorat, la totalisation des résultats d'élections organisées tous les deux ans dans les entreprises dans un contexte où prédominent des facteurs particuliers n'est pas identique à une compétition nationale revêtant nécessairement une portée politique. Les rapprochements ne sont cependant pas dénués d'intérêts car ils témoignent que l'influence syndicale est composite et se cristallise en une multiplicité de facettes aux éclats différents.

I - *Une participation satisfaisante au scrutin*

La participation des salariés constituait la première interrogation posée par le scrutin du 8 décembre 1982. En effet, en 1979 la participation avait été considérée comme d'autant plus remarquable (36,9 % d'abstentions) que la préparation matérielle du scrutin avait pu laisser croire que certaines cartes d'électeurs avaient été adressées tardivement ou que des erreurs non négligeables d'inscription avaient été commises. Par ailleurs, le contexte politique nouveau incitait à se demander comment les salariés allaient manifester à la fois leur soutien à un gouvernement de gauche bénéficiant du soutien critique des syndicats et leur réprobation à l'égard des mesures de rigueur financière manifestement peu populaires.

Au regard de ces interrogations, la participation a été généralement admise comme importante bien qu'en recul par rapport à 1979 : 41,4 % d'abstentions pour la France métropolitaine contre 52 % pour les employeurs dont plus de la moitié a donc boudé le scrutin. Cette appréciation générale recouvre des réalités très différentes suivant les régions et les sections.

La régionalisation des abstentions

La participation aux élections prud'homales a des caractéristiques régionales fortes et constantes, qu'on retrouve dans d'autres consultations (voir en annexe la carte relative à la participation).

• *Les plus forts taux d'abstention*

Toutes sections réunies, les plus forts taux d'abstention apparaissent dans deux zones principales :

— Paris et tous les départements de la région parisienne (le Val de Marne, particulièrement). Les abstentions ont dépassé largement la moitié des inscrits (53,7 % d'abstention) à Paris qui, à lui seul, regroupe 12,2 % du total des abstentionnistes.

— Le pourtour de la Méditerranée (notamment les Alpes Maritimes, le Var, les Bouches-du-Rhône, l'Hérault) et les deux départements de la Corse : la Corse du Sud détient le record des abstentions avec un taux de 57,7 %.

Déjà en 1979 ces deux régions s'étaient caractérisées par un taux d'abstention élevé. En revanche la région Rhône-Alpes qui figurait également dans cette catégorie en 1979, a connu une meilleure participation bien qu'elle demeure encore en-deçà de la moyenne nationale.

• *Les plus faibles taux d'abstention*

Ceux-ci découpent des zones coïncidant moins que celles des forts taux avec des régions naturelles. Ces zones sont cependant identifiables assez clairement même si elles sont moins typées que les régions d'abstentionnisme élevé qui sont numériquement peu nombreuses :

— Le Nord de la France (Nord, Pas-de-Calais, Somme, Aisne).

— Une partie de la Normandie (Orne, Mayenne, Eure).

— Une ligne de départements du Centre-Ouest qui, approximativement, suit le tracé de la Loire et de certains de ses affluents (Maine-et-Loire, Loir-et-Cher, Sarthe, Cher, Indre, Allier).

— Les départements ruraux de l'Est (Meuse, Haute-Marne, Vosges, Haute-Saône, Doubs) auxquels s'ajoute le Haut-Rhin.

— Les pourtours Ouest (Corrèze, Vienne, Haute-Vienne, Corrèze, Dordogne), Sud-Ouest (Tarn, Aveyron) et Est (Haute-Loire) du Massif Central).

Déjà en 1979, à quelques exceptions près, les mêmes régions avaient été celles où la participation avait été la plus forte.

Les fortes participations se situent aussi bien dans les zones fortement industrialisées et urbanisées (Nord, Pas-de-Calais) que dans les zones rurales (Haute-Vienne, Corrèze, Charente, Dordogne). Mais, dans l'ensemble, les départements à dominante rurale sont ceux où les taux de participation les plus élevés ont été enregistrés. Ainsi les cinq départements où l'abstention a été la plus faible (10 points en dessous de la moyenne nationale) ont été l'Aisne, l'Ariège, l'Indre, la Somme et la Haute-Vienne. Aucun d'entre eux ne se caractérise par une population salariée nombreuse et concentrée dans des métropoles urbanisées et industrialisées.

Des résultats tout à fait opposés coexistent au sein d'une même région administrative : par exemple, en Bourgogne, deux départements limitrophes connaissent des taux contradictoires de participation : la Côte d'Or a un fort taux d'abstention (45,6 %), la Nièvre en a un beaucoup plus faible (35,6 %). En Charente le taux d'abstention est inférieur à la moyenne nationale (37,1 %) ; il est supérieur en Charente-Maritime (45,1 %). De même, des écarts importants d'abstentions existent entre les différents conseils d'un même département.

Au total la comparaison des taux d'abstention de 1979 et 1982 fait apparaître une grande stabilité de la structure abstentionniste en France. La prise en compte des élections à la Sécurité sociale de 1962 conduirait d'ailleurs à renforcer ce constat, en dépit des différences de comportement des électorats des deux types de consultation sociale.

Des zones permanentes de faible participation se dessinent sur la bordure de la Méditerranée, une partie de la région Rhône-Alpes et Paris. En sens inverse, on note une participation forte et constante dans le Nord (Nord, Pas-de-Calais, Somme, Aisne), le Centre-Ouest (Eure-et-Loir, Loir-et-Cher, Cher, Indre), le rebord sud du Massif Central (Aveyron, Ardèche), une partie de la région Midi-Pyrénées.

L'abstentionnisme social ne coïncide que partiellement avec celui des consultations politiques. Sans doute traditionnellement le Midi méditerranéen est-il plus abstentionniste que le Nord mais une analyse plus fine, au niveau de départements, montre que les coïncidences sont loin d'être la règle. Assurément les différences importantes de composition des deux corps électoraux expliquent déjà largement ces différences structurelles accentuées par les spécificités des conditions de vote (vote sur le lieu de travail pour les élections sociales et non sur le domicile).

Un abstentionnisme faible dans les grandes entreprises industrielles

Le taux de participation des salariés aux élections prud'homales varie fortement selon le secteur d'activité. L'abstention est très nettement inférieure à la moyenne pour l'industrie (32,1 %) en 1982), légèrement inférieure à la moyenne pour l'encadrement (41,1 %); elle est un peu supérieure à la moyenne pour l'agriculture (41,6 %), nettement supérieure pour le commerce (48,9 %) et surtout pour les activités diverses (52,9 %). On observe donc, selon le secteur d'activité, un écart de 20,8 points entre la section où la participation a été la meilleure (industrie) et celle où elle a été la plus faible. Déjà en 1979 un écart semblable (20,7 points) avait été enregistré et le classement des sections était rigoureusement identique. En revanche, curieusement, chez les employeurs la distribution est très différente : les agriculteurs ont le plus participé (39,9 % d'abstentions) précédant les patrons de l'industrie, puis ceux qui figuraient dans l'encadrement, le commerce et les activités diverses arrivant en queue.

Cet écart considérable tient certainement aux traditions de syndicalisme, fortement implanté et structuré dans le secteur de l'industrie, tandis qu'il est beaucoup moins présent dans le commerce, et au regroupement hétérogène que constitue la section des activités diverses.

L'étude par secteur d'activités et par départements fait apparaître une certaine homogénéité dans les *variantes* entre le taux d'abstention moyen du département (par rapport à la moyenne nationale) et le taux d'abstention par section (par rapport à la moyenne sectorielle nationale). Ceci est particulièrement net pour la section industrie où dans tous les départements sauf un, lorsque le taux d'abstention des départements est supérieur ou inférieur à la moyenne nationale, il est également dans l'industrie supérieur ou inférieur à la moyenne sectorielle nationale.

Pour les sections du commerce, dans 10 départements seulement, le taux d'abstentionnisme n'est pas dans le même sens que celui de toutes les sections réunies (abstentionnisme plus élevé que celui de la moyenne nationale alors que l'inverse s'observe au niveau d'ensemble du département ou vice-versa). Bien évidemment, compte tenu de son poids spécifique, la section industrie (41,7 % des inscrits) imprime à elle seule sa marque à l'ensemble des résultats en ce qui concerne l'abstentionnisme comme les résultats globaux.

Une variable explicative de l'abstention aux élections prud'homales, transversale au secteur d'activité, réside dans la taille des entreprises. Dans l'ensemble, le taux d'abstention est d'autant plus élevé que la taille des entreprises est petite. La faible implantation syndicale dans les petites entreprises mais aussi, peut-être, les difficultés à s'absenter dans ce type d'entreprise pour aller voter, ont joué un rôle fondamental.

Enfin, un dernier facteur explicatif de l'abstention paraît être le type de relations qui unit le salarié à son employeur, et plus largement, la perception que le salarié a de son statut.

Un premier élément pour confirmer cette analyse peut être cherché dans l'attitude des chômeurs. A Paris, par exemple en 1979, 250 salariés privés d'emplois, sur 60 000 potentiels, avaient rempli les déclarations nominatives leur permettant de voter aux élections, soit un taux de 0,42 %. Les taux d'inscription n'ont été guère différents en 1982 même s'ils se sont améliorés dans certains cas. Lorsque le salarié n'a plus de lien avec l'entreprise, il ne se sent pas concerné par les prud'hommes et ne demande même pas à participer au scrutin.

Mais l'analyse mérite d'être étendue :

— au personnel «périphérique» appartenant aux entreprises prestataires de services dont la stabilité d'emploi est faible, et qui ne bénéficie pas du statut de l'entreprise principale auprès de laquelle il est placé ;

— au personnel d'entreprises de travail temporaire [1]. Les salariés qui ont un statut stable (contrat de travail à durée indéterminée, application d'une convention collective, etc.) votent plus que ceux qui ont un statut précaire ou des conditions de travail les marginalisant dans l'entreprise.

La participation plus faible des hommes et des jeunes

Plus on avance en âge, plus on vote aux élections prud'homales, avec un coup d'arrêt très net pour les plus de 60 ans. L'abstentionnisme est le plus fort chez les moins de 20 ans et chez les plus de 60 ans. Il reflète fidèlement l'attitude des salariés à l'égard des syndicats en fonction de leur âge (voir le chapitre 2).

Selon une enquête effectuée à l'occasion des élections de 1979, l'écart des taux d'abstention selon l'âge est important puisqu'il était de 26 points entre les plus abstentionnistes (moins de 20 ans: 54 %) et les moins abstentionnistes (50 à 59 ans: 28 %) [2]. Ces données n'ont guère du évoluer depuis cette date.

Suivant la même source les femmes votent davantage que les hommes aux élections prud'homales: l'écart alors observé avait été de trois points en faveur des femmes (66 % de votantes contre 63 % de votants).

Cet écart moyen de trois points en faveur des femmes n'autorise pas une affirmation générale. Il permet en tout cas de contredire l'affirmation habituelle suivant laquelle les femmes participent moins aux institutions relatives aux relations du travail.

Il autorise à émettre l'hypothèse d'une transformation de la participation des femmes à la vie sociale et politique. A propos des élections politiques, Alain Lancelot écrivait naguère que les deux tiers des abstentionnistes étaient des femmes [3]. Une étude sur la participation aux élections municipales à Paris en 1977 avait déjà montré que la règle de moindre participation des femmes était démentie [4].

Assurément, les élections prud'homales sont d'une nature différente des consultations politiques. Mais les données recueillies à l'occasion du

---

1. Ainsi, en 1979, à Paris, au bureau 53, composé essentiellement du personnel d'intérim, le taux d'abstention a atteint 82,6 % ; au bureau 55 essentiellement formé par une entreprise de gardiennage, le taux était de 76,4 %.
2. Analyse effectuée à partir des listes d'émargement dans un échantillon de 8 conseils concernant 16 360 inscrits et 10 536 votants, dont 3 197 femmes.
3. Alain Lancelot, *la Participation des Français à la politique*, Paris, P.U.F., 1971.
4. Janine Mossuz-Lavau, Mariette Sineau, «Sociologie de l'abstention dans huit bureaux de vote parisiens», *Revue française de science politique*, février 1978.

scrutin du 12 décembre 1979 permettent de mettre en question la thèse de l'abstentionnisme féminin, même si une enquête comparable n'a pu être réalisée à nouveau en 1982.

II - L'enracinement syndical dans la France «profonde»

Le monopole des cinq grands

En décembre 1982 les cinq grandes confédérations syndicales de salariés (CGT, CFDT, FO, CFTC, CGC) se sont partagées 96,21 % des suffrages exprimés (95,4 % en 1979) et ont donc vu largement confirmée leur représentativité légale. Leur score cumulé progresse de 10 points par rapport aux élections de la Sécurité sociale en 1962 (84,5 % en 1962) Cf. tableau ci-après :

TABLEAU XIV — REPRÉSENTATIVITÉ SYNDICALE
1979 ET 1982

	1979	1982	Solde
Inscrits	12 323 163	13 547 411	+ 1 109 060
Abstentions	36,8 %	41,4 %	− 4,6
CGT	42,5 %	36,8 %	− 5,6
CFDT	23,1 %	23,5 %	+ 0,4
FO	17,4 %	17,8 %	+ 0,4
CFTC	6,9 %	8,5 %	+ 1,5
CGC	5,2 %	9,6 %	+ 4,4
Divers	4,6 %	3,8 %	− 0,8

Les petites organisations «indépendantes» n'ont pas réussi à capter l'électorat des petites entreprises, souvent jugé indifférent ou hostile aux syndicats. Elles ont même reculé depuis 1979. L'idée d'un comportement différent des salariés des petites entreprises dépourvues de toute institution de représentation est sans fondement, du point de vue électoral.

Les résultats de la CGT confirment son déclin historique attesté par la convergence de toutes les consultations sociales (élections prud'homales, élections aux comités d'entreprise), de l'évolution des adhérents, voire de la diffusion de sa presse. Progressivement l'équation globale *CGT = total des organisations non CGT* qui apparaissait comme la règle dans les élections aux Comités d'entreprise avant 1980 se transforme en inégalité aux dépens de la CGT. Tout se passe comme si la CGT perdait tous les ans un point dans les élections sociales quelle qu'en soit la nature. Celle qui demeure la première confédération syndicale voit ses forces décliner dans les zones de vieille tradition industrielle sans pour autant gagner des suffrages auprès des nouvelles couches salariales. Manifestement l'ensemble des organisations non cégétistes attire, en plus de son électorat permanent, nombre de salariés non syndiqués, travaillant dans les petites entreprises et/ou les secteurs peu couverts traditionnellement par l'activité syndicale. Les résultats des secteurs «commerce», «agriculture», et «activités diverses» de 1982 comme de 1979, sont particulièrement significatifs à cet égard.

Au total, si on veut procéder à une estimation globale de l'influence de chaque organisation syndicale représentative le tableau suivant peut être établi:

TABLEAU XV — INFLUENCE GLOBALE DES SYNDICATS[1]
en %

	Inscrits	Exprimés	CGT	CFDT	FO	CFTC	CGC	FEN	Divers
Prud'hommes ..	13 547 411	7 642 537	36,8	23,5	17,8	8,5	9,6		3,8
Fonction publique et assimilés	2 607 411	1 972 521	25,9	18,9	19,1	3,2	2,6	19,4	10,6
Total	16 154 822	9 615 058	34,5	22,5	18	7,3	8,2	3,9	5,1

(1) Ce tableau récapitule les votes émis par l'ensemble des salariés actifs:
— à l'occasion des élections prud'homales du 8 décembre 1982
— pour la désignation des représentants aux commissions administratives paritaires ou organismes assimilés de la fonction publique, des personnels communaux, des ouvriers de la défense nationale et des personnels hospitaliers publics pour la période 1977/1981. Les données correspondent à celles qui ont été retenues dans le chapitre précédent mais elles ont été actualisées pour être plus proches de la date des élections prud'homales de 1982, ce qui explique la très légère différence de résultats.

Le rapprochement entre des résultats d'élections professionnelles et une consultation plus «politique» comme les élections prud'homales mêle évidemment des résultats de signification légèrement différents. Il permet cependant une évaluation globale qu'il est suggestif de rapprocher de celle qui a été présentée à partir des seules élections professionnelles (cf. chapitre précédent). Plus la consultation est liée à des préoccupations propres à un métier, une entreprise, une catégorie, meilleurs sont les résultats de la CGT et des syndicats autonomes ou catégoriels (38 % pour les élections professionnelles, 36,8 % pour les prud'homales) alors que l'inverse s'observe pour toutes les autres organisations. La CFTC et la CGC sont particulièrement bénéficiaires d'une représentativité mesurée à partir des élections prud'homales. Cependant au total les «fourchettes» entre les deux types de scrutins sont d'amplitude modeste. Dans l'ensemble la CGT est maintenant nettement en-dessous du seuil des 40 % de voix alors qu'elle détenait pratiquement partout la majorité absolue il y a moins de deux décennies. Force ouvrière qui passait naguère pour être très nettement derrière la CFDT n'est pas la deuxième confédération française comme elle l'affirme parfois, mais son écart par rapport à la CFDT tend à diminuer au fil des années. Si l'on tient compte enfin des progrès de la CFTC et de l'encadrement, une conclusion s'impose: le pluralisme syndical n'est pas un accident dans l'histoire sociale française, une conséquence de la division des états-majors alors que la classe ouvrière serait spontanément unitaire. Le pluralisme est durablement installé en France et correspond à une diversification progressive structurelle du groupe de plus en plus hétérogène des salariés.

La stabilité des implantations géographiques

Du point de vue de l'implantation géographique de chaque confédération, deux conclusions se dégagent assez nettement du scrutin (voir cartes en annexe 6).

Il existe une relation d'exclusion forte entre les résultats de la CFDT et ceux de la CGT et cette relation paraît particulièrement stable depuis les élections de 1962. Autrement dit, de façon générale et toutes proportions gardées, là où la CGT est forte, la CFDT ne l'est pas et réciproquement. La CGT est particulièrement forte et, a contrario, la CFDT faible, dans le Limousin et tout le pourtour Nord-Ouest du Massif Central, le Languedoc-Roussillon, en Provence Côte d'Azur ou en Picardie. Ainsi, la carte de la CGT superpose celle où la tradition laïque du PCF et de la SFIO est dominante et où existe une ancienneté du vote à gauche (exemple: Midi-Méditerranéen, Aquitaine) et celle où l'industrialisation est la plus ancienne (exemple: Nord, Loire...). La CFDT atteint ses scores les plus bas dans ces régions. A l'inverse, la CFDT est forte dans les régions de tradition chrétienne, on pourrait même dire démocrate chrétienne, ainsi que dans celles où la structure salariale a changé, du fait de la création de nouvelles activités industrielles ou tertiaires.

Il s'agit souvent de régions où le parti socialiste a le plus progressé depuis une dizaine d'années. Un parallélisme existe entre la déconfessionnalisation de la CFDT et l'effondrement du MRP au profit du PS. Entre 1979 et 1982 le phénomène marquant demeure la grande stabilité du schéma CGT forte/CFDT faible et la faiblesse des échanges de voix entre ces deux organisations. Là où la CGT recule le plus, c'est presque toujours plus au profit de FO que de la CFDT. Ainsi en est-il dans les Ardennes, le Cantal, la Haute-Garonne, l'Indre-et-Loire, la Maine, le Pas-de-Calais, l'Yonne... Dans l'ensemble, la structure géographique des résultats prud'homaux est d'ailleurs identique à celle des élections aux comités d'entreprises telles qu'elles sont analysées par le ministère du Travail.

La deuxième relation marquante est une relation de concurrence entre les binômes CGT/FO et CFTC/CFDT. Cette proposition peut être vérifiée de façon structurelle. Dans un certain nombre de départements, CGT et FO obtiennent ensemble de bons scores. Il s'agit essentiellement du Sud-Ouest, des départements méditerranéens, de l'ouest du Massif Central et de quelques départements isolés comme la Corse du Sud. Dans ces zones, le poids de la CGT et de FO empêche l'implantation de tout autre syndicat. De même, la relation de concurrence entre la CFDT et la CFTC apparaît particulièrement nette dans l'Ouest et l'Est de la France.

La géographie électorale témoigne de la permanence d'affinités entre des organisations qui se sont séparées il y a un tiers de siècle pour la CGT et FO et depuis près de 20 ans pour la CFTC et la CFDT. Et, sans doute, faudrait-il analyser l'évolution de la pratique religieuse, des mouvements d'action catholique et des caractéristiques du clergé pour déterminer comment s'effectue le partage de l'influence entre ces deux dernières confédérations. En schématisant à l'extrême, l'évolution du monde catholique autour de deux pôles (l'un parfois qualifié de façon excessive de «progressiste» mais plus simplement de «conciliaire», l'autre de «conservateur», entendons attaché à la tradition) ne conduit-elle pas une CFDT, pourtant déconfessionnalisée, à incarner le premier aspect et la CFTC le second? Les scores élevés de la CFTC dans les départements d'Alsace-Lorraine où elle talonne la CFDT, et les succès de cette dernière dans l'Ouest où elle progresse souvent par rapport à 1979, semblent accréditer cette thèse.

La domination cégétiste dans l'industrie et la percée cédétiste dans l'agriculture

L'analyse géographique est insuffisante pour expliquer les résultats des élections prud'homales si on ne la croise pas avec l'analyse des données sectorielles (voir annexe 5: Résultats par sections).

• La section industrie

Elle représente 41,7 % du total des inscrits, avec de grandes variations selon les départements (16,6 % à Paris contre 63,4 % dans les Vosges), mais elle a perdu de son importance par rapport à 1979 (44,6 % des inscrits). Dans 49 départements, elle représente plus de 50 % du total des suffrages exprimés. La caractéristique majeure de la section industrie, c'est la domination que continue à exercer la CGT dans le monde industriel : dans 56 départements, elle recueille plus de 45 % des suffrages ; dans 36 son score dépasse 50 % et dans 16 il atteint plus de 55 % (contre 40 en 1979).

Dans la totalité des départements, la moyenne CGT dans la section industrie dépasse la moyenne globale CGT du département. Par ailleurs, plus le département est industrialisé, meilleurs sont les résultats de la CGT dans les autres sections : ainsi, plus la base ouvrière de la CGT est forte, plus sa capacité à entraîner derrière elle d'autres couches sociales est grande.

Par comparaison, l'électorat des trois autres confédérations paraît moins contrasté : la CFDT a d'ailleurs progressé dans l'Industrie, par rapport à 1979 (23,5 % contre 22,4 %). Au total près de la moitié des suffrages de la CFDT (48,2 %) proviennent de la section industrie contre 58,9 % à la CGT. A Force ouvrière et à la CFTC les résultats de la section industrie sont légèrement inférieurs à la moyenne d'ensemble mais l'influence de ces deux organisations s'y est renforcée comme celle de la CGC. La CGT a décliné au profit de toutes les organisations concurrentes.

• La section commerce

Elle compte 3,7 millions d'inscrits, soit 27,4 % du total. Dans quelques départements, le nombre d'inscrits dans le commerce dépasse le nombre d'inscrits dans l'industrie. C'est le cas de la région parisienne (Paris et l'Essonne) et de certains départements méditerranéens (Hautes-Alpes, Alpes-Maritimes, Bouches-du-Rhône, Pyrénées-Orientales, Var). Dans cette section, les résultats sont les plus homogènes pour l'ensemble des confédérations par rapport à leurs moyennes d'ensemble. FO et CFTC ont dans cette section, des résultats supérieurs à leur moyenne nationale. C'est la section où la CGT a le plus reculé (− 5,7 points) au profit de la CFTC qui gagne deux points et de la CGC qui progresse de quatre.

• *La section agriculture*

Celle-ci ne compte que 476 000 inscrits, soit 3,5 % du total (3,6 % en 1979), ce qui doit conduire à beaucoup de prudence lorsque l'on compare les pourcentages moyens de résultats des différentes confédérations par section, sans tenir compte du poids des effectifs de chaque section dans le collège des salariés.

Comme pour le commerce, la section agriculture regroupe un ensemble d'activités diversifiées : à côté des ouvriers de l'agriculture, on y trouve également des emplois tertiaires (dans la mutualité ou simplement les structures coopératives et les organismes administratifs comme les Chambres d'Agriculture) et une partie de l'agro-alimentaire (secteur de la production et de la première transformation des produits végétaux ou animaux).

C'est dans cette section que la CGT enregistre son plus mauvais score (28,2 %) par rapport à sa moyenne d'ensemble (écart de − 8,6 points). Elle a cependant mieux résisté là qu'ailleurs car elle ne perd que 2,7 points par rapport à 1979 contre 5,6 au niveau global. La CFDT, au contraire, bénéficie là de son meilleur score (31,8 %) par rapport à la moyenne d'ensemble (écart de + 8,3 points). La comparaison géographique de l'implantation des deux centrales est particulièrement significative : là où la CFDT est forte, la CGT est faible et inversement.

Elle a toutefois perdu deux points au profit de la CGC qui progresse de 0,3 % à 2,9 % des voix mais surtout de la FGSOA qui passe de 3,3 % à 5,8 % entre 1979 et 1982. Ce syndicat autonome qui possède quelques bastions, essentiellement dans le Centre de la France (Allier, Côte-d'Or, Creuse, Haute-Loire, Loir-et-Cher) et également à Paris (dans le tertiaire agricole) a multiplié les candidatures en 1982 et développé ainsi ses zones d'influence avec parfois un recul dans ses zones de force initiale. Elle perd des voix par exemple dans l'Allier, la Côte-d'Or, la Creuse ou la Haute-Loire. Mais au total, le FGSOA dépasse 10 % des voix dans 25 départements et 20 % dans 6 (Allier, Cher, Creuse, Eure, Loir-et-Cher, Vaucluse).

• *La section d'activités diverses*

Cette section, difficile à caractériser d'un point de vue économique et social, rassemble 2,15 millions de salariés qui n'ont pas pu être inscrits dans les trois premières. Compte tenu de ce caractère fourre-tout, on peut simplement noter que la CGT a là des résultats médiocres (30,2 %)

et la CFTC meilleurs (11,8 %) ainsi que l'ensemble des syndicats autonomes et catégoriels (4,7 %).

• *La section encadrement*

Dans cette dernière (1 540 000 inscrits, soit 11,3 % du total) la CGC est la première organisation syndicale de cadres avec 41,4 % des suffrages, progressant de 5,4 points par rapport à 1979. Ce bond en avant constitue, sans doute, un des résultats les plus spectaculaires de la consultation de 1982. S'agit-il d'un mouvement conjoncturel dû au mécontentement des cadres à l'égard de la politique gouvernementale ou d'un mouvement de fond lié à la stratégie active de la CGC, une fois liquidées les séquelles de la succession du président André Malterre, décédé en juillet 1975? Assurément les deux facteurs ont pu se conjuguer.

Par rapport aux élections professionnelles, les trois confédérations CGT, CFDT et FO, qui ont toutes perdu des voix aux prud'homales de 1982 par rapport à 1979 dans l'encadrement ont des résultats intermédiaires outre ceux de deuxième collège et ceux de troisième. Autrement dit, l'influence de ces trois organisations dans le milieu «encadrement» dépend largement de la définition donnée à ce mot : plus la définition est extensive plus le poids de la CGC se relativise. Pour la CGC et la CFTC, dont les résultats sont à la fois en progrès et supérieurs à ceux habituellement atteints dans les élections aux comités d'entreprises (2e et 3e collège), un autre phénomène s'est produit : tout s'est passé comme si les électeurs votant habituellement pour les non-syndiqués ou ceux qui ne participent jamais aux élections des comités d'entreprises en raison de la taille de leur entreprise, avaient porté massivement leurs suffrages sur la CFTC et la CGC.

III - Les clientèles spécifiques de chaque confédération

Les visages contrastés de la CGT

Avec 36 % des suffrages exprimés, le score de la CGT dépasse encore largement celui des autres organisations confédérales.

Mais il n'en est pas toujours ainsi suivant les départements et les sections. Ainsi la CGT qui dépassait 50 % des suffrages dans 15 départements en 1979, n'a plus la moyenne absolue que dans 4, tous situés en zone rurale (Ariège, Corrèze, Haute-Corse, Haute-Vienne). Elle ne progresse également que dans quatre départements (Calvados, Corse du

Sud, Drôme, Lot) grâce aux sections industrie et commerce. Dans 23 départements les pertes de la CGT sont supérieures à son recul global (– 5,6 points). Il s'agit essentiellement de trois régions :

— la région parisienne (Paris, Seine-et-Marne, Seine-St-Denis, Yvelines, Oise),
— les départements ruraux de Champagne-Ardennes, (Ardennes, Aube, Marne),
— les départements pyrénéens (Haute-Garonne, Ariège, Hautes-Pyrénées, Pyrénées-Orientales).

Mais on trouve aussi des départements isolés comme l'Indre-et-Loire, le Jura, l'Allier, l'Yonne, l'Ardèche, le Cantal, le Rhin, le Pas-de-Calais ou le Var.

Ainsi mis à part le cas de Paris où les pertes tiennent autant à l'industrie qu'au commerce, les pertes les plus sensibles affectent surtout des régions peu industrialisées et peu syndicalisées. Les régions fortement industrialisées et urbanisées, de tradition de gauche, se sont également érodées mais légèrement moins vite. On constate de même que parmi les 23 départements où la CGT régresse plus que sa moyenne nationale, 5 seulement enregistrent dans l'industrie une perte supérieure à ce taux. Partout ailleurs les baisses les plus sensibles affectent les autres sections. Symbole du syndicalisme des métiers, de la France du charbon et de l'acier, de la tradition de gauche en milieu rural, la CGT est victime d'un double environnement :

— la diminution structurelle de l'importance de secteurs de vieille industrialisation,
— la précarité de son implantation dans les branches et régions nouvelles d'implantation industrielle.

Aucune organisation n'est entièrement bénéficiaire de ce déclin et, parfois même, ni la CFDT ni FO ne sont directement gagnantes car l'éparpillement des reports est la règle.

De toutes les confédérations, la CGT présente les écarts les plus extrêmes de résultats entre les collèges. Elle obtient 44,9 % dans la section industrie (50,2 % en 1979), mais n'atteint que 12,9 % dans l'encadrement (16,8 % en 1979). Lorsque la CGT est forte dans un département, c'est qu'elle l'est dans l'industrie de ce département. Inversement, quand elle présente une faiblesse générale, c'est qu'elle est faiblement implantée dans le secteur industriel. Dans le commerce, la CGT obtient à peu près le même score (36,7 %) que dans l'ensemble des collèges

(36,8 %), mais de façon très diverse d'un département à l'autre. Il en était de même en 1979.

L'essor de la CFDT chez les «nouveaux» salariés

En 1982 les zones de force de la CFDT sont restées assez stables par rapport à 1979; il s'agit, pour l'essentiel, des régions de tradition catholique: l'Ouest de la France (Côtes-du-Nord, Finistère, Ille-et-Vilaine, Pays-de-Loire) ainsi que l'Est (Meurthe-et-Moselle, Meuse, Doubs, départements d'Alsace-Lorraine).

Toutefois, même si elle ne progresse que de 0,4 points la CFDT connaît une modification non négligeable de sa situation par rapport à la CGT. En effet en 1979 la CFDT devançait la CGT dans 8 départements (7 dans l'Ouest plus la Haute-Loire). En 1982 on en dénombre 14: les mêmes qu'en 1979 auxquels s'ajoutent les trois départements d'Alsace-Lorraine ainsi qu'un département breton (Finistère), la Lozère, l'Aveyron. Parmi ces 14 départements la CFDT devance la CGT dans 8 départements pour la section industrie. Mais c'est plus généralement grâce à ses bons résultats dans le commerce et accessoirement l'agriculture qu'elle doit de supplanter la CGT (dans 12 départements sur 14). D'ailleurs dans 4 autres départements (Doubs, Mayenne, Orne, Vosges) la CFDT a de meilleurs résultats dans le commerce que la CGT sans pour autant arriver en tête, toutes sections confondues.

Les départements où la CFDT connaît des déplacements de voix notables sont assez rares. Elle ne recule nettement (2 points de plus) que dans 7 départements également situés dans des zones de faiblesse relative (Aube, Corse du Sud, Eure-et-Loir, Val-d'Oise) et dans ses zones de forte implantation (Haute-Loire, Meurthe-et-Moselle, Haute-Savoie). En sens inverse elle se renforce sensiblement (2 points de plus) dans 9 départements, — eux aussi répartis à peu près également parmi ceux où son influence est faible (Hautes-Alpes, Haute-Corse, Gironde, Pyrénées Orientales, Haute-Vienne) et ceux où elle était déjà en situation favorable (Ille-et-Vilaine, Lozère, Mayenne, Tarn). Il n'y a donc pas une cause unique à ces modifications de frontières: tantôt la CFDT a bénéficié de voix venues de FO ou de la CGT, tantôt elle a accéléré sa dynamique de développement aux dépens de tous les autres mais en sens inverse, la CFTC lui a grignoté des voix et elle n'a pas su améliorer ses positions là où elle n'était qu'en troisième position derrière FO.

Au niveau sectoriel, la CFDT présente une implantation assez homogène dans l'ensemble des secteurs, avec une présence dans l'industrie qui est maintenant égale à sa moyenne nationale après avoir été en-dessous en 1979.

Les deux caractéristiques marquantes de l'implantation sectorielle de la CFDT sont les suivantes :

• *La première place dans le collège agriculture* avec 31,8 % des suffrages, malgré un recul de 2 points par rapport à 1979. Les zones de force de la CFDT précédemment définies pour l'ensemble sont particulièrement nettes en agriculture. Dans l'Ouest, l'Est et le Sud-Est, la CFDT atteint souvent plus de 50 % des suffrages. Les succès de la FGSOA aux dépens de la CFDT semblent dus moins à une perte directe d'influence qu'à la multiplication des candidats de cette organisation qui avait boudé les élections prud'homales de 1979 (voir *supra*).

Dans ce collège, on pourrait presque superposer les cartes de la CGT et celles de la CFDT, tant la force de l'une exclut la force de l'autre et inversement.

• *La seconde place dans la section encadrement* (et donc la place de première organisation confédérée), indique bien que la « salarisation » des cadres trouve une traduction dans le vote cédétiste. Dans ce collège, la CFDT paraît peu concurrente avec la CGT ou la CGC (leurs zones de force ne s'excluent pas) mais avec FO. La CGC n'a pas spécialement « pris » des voix à la CFDT mais à l'ensemble des syndicats.

La relation d'exclusion qui existe ente CFDT et CGT montre bien que l'image de la CFDT s'est transformée ; elle est aujourd'hui celle d'une organisation de masse qui la rend à la fois comparable et opposée à la CGT. Après avoir progressé assez vite auprès de nouvelles couches salariées créées par l'évolution économique (nouvelles industries, tertiaire...), la CFDT a consolidé ses acquis et légèrement rééquilibré ses zones d'influence là où la CGT était emportée par son reflux général.

La progression tranquille de FO

L'analyse des résultats de FO est sans doute la plus difficile à réaliser.

Plus que tout autre, FO est l'organisation dont les visages sont les plus contrastés suivant qu'on la considère sous l'angle de l'action professionnelle dans l'entreprise (élections aux comités d'entreprise), de l'attachement à la Sécurité sociale et à la vie mutualiste (élections de 1962) ou de l'image de marque nationale et politique (élections prud'homales). Certes, aucune incompatibilité n'existe entre ces aspects de la vie syndicale et chaque confédération les assure plus ou moins complètement.

Force ouvrière est peut-être l'organisation pour laquelle les fonctions professionnelles, sociales et politiques sont les plus autonomes les unes par rapport aux autres et les plus liées à des clientèles spécifiques.

Par ailleurs, l'organisation d'André Bergeron est nettement moins bien typée sectoriellement et géographiquement que les deux précédentes.

FO est passée de 17,4 % en 1979 à 17,8 % en 1982. Elle enregistre des gains sensibles (2 points de plus) dans 14 départements et des pertes de même ampleur dans seulement 9[1]. La progression régulière de FO s'explique sans nul doute par la capacité dont elle a fait preuve pour attirer à elle les électeurs mutualistes de 1962 lors des élections à la Sécurité sociale, ceux qui votent non-syndiqués aux élections des comités d'entreprises ou qui ne disposent d'aucune représentation dans leur entreprise et ceux qui voient en elle une organisation modérée et raisonnable dans la vie publique. De ce point de vue, la forte hétérogénéité sectorielle constatée dans les départements confirme que le choix pour FO obéit à des mobiles multiples, nettement moins typés que le choix pour la CGT ou la CFDT qui ont une base «politique» ou idéologique plus forte.

Force ouvrière apparaît comme un point électoral d'échanges complexes entre la CFDT et la CGT. Si le bloc CGT/FO conserve une certaine stabilité dans ses zones de force et de faiblesse depuis trente ans, à l'intérieur de ce bloc, les échanges sont nombreux. Les pertes de voix de la CGT profitent souvent à FO.

Force ouvrière devance la CFDT dans 31 départements (28 en 1979): à l'exception d'un seul département ce résultat est atteint grâce à l'industrie. C'est dire que FO est, à tort, perçue comme une organisation uniquement composée de fonctionnaires et d'employés. C'est sans doute dans les départements où FO devance la CFDT qu'on voit le mieux apparaître ses spécificités géographiques. Pour l'essentiel FO a ses meilleures implantations là où déjà la CGT est forte:

---

1. Départements où FO progresse: Ain, Ardennes, Cantal, Charente-Maritime, Corrèze, Haute-Garonne, Indre, Indre-et-Loire, Haute-Marne, Pas-de-Calais, Deux-Sèvres, Somme, Vienne et Yonne. Il s'agit donc pour l'essentiel de régions de tradition de gauche ou simplement d'influence radicale. Départements où FO recule: Aube, Corse du Sud, Haute-Corse, Creuse, Ille-et-Vilaine, Tarn, Loire-Atlantique, Pyrénées-Atlantiques, Val d'Oise.

— les départements méditerranéens,
— le Sud-Ouest et plus précisément l'Aquitaine,
— le Nord-Ouest du Massif Central (de la Dordogne à l'Allier),
— l'Ouest et l'Est du bassin parisien jusqu'à la Champagne-Ardennes.

Cette caractéristique montre à la fois que le vote pour FO est largement déterminé par l'existence d'une tradition nationale — la gauche modérée — incarnée par son secrétaire général et qu'aucun des axes habituels de développement d'un syndicat (un métier, une profession, une tradition politique) ne joue un rôle privilégié.

FO fait ses meilleurs scores dans l'agriculture, le commerce et les activités diverses, tous les trois supérieurs à sa moyenne d'ensemble, mais reste plus fiablement implantée dans l'industrie malgré ses progrès lents et réguliers.

Les non-syndiqués favorables à la CFTC

Compte tenu de la modestie de son implantation telle qu'elle apparaît dans les élections aux comités d'entreprises, la CFTC a réalisé, avec 8,4 % des suffrages, un résultat particulièrement positif aux élections prud'homales. Déjà en 1979 son score (7,2 %) avait surpris. La CFTC a sans doute largement bénéficié du soutien de ceux qui ont voté pour des candidats non-syndiqués aux élections professionnelles ainsi que de l'appui de ceux qui, habituellement, ne sont pas concernés par les élections professionnelles. De façon plus mécanique, elle a recueilli les fruits de ses efforts pour présenter un maximum de candidats : alors qu'en 1979 elle était absente dans 11 % de sections elle ne l'était plus que dans 5,8 % en 1982. Au moindre degré, elle a ressenti aussi les effets bénéfiques de la participation des trois départements d'Alsace-Lorraine aux élections prud'homales.

La CFTC se trouve souvent en situation de concurrence avec la CFDT car elles ont le plus souvent les mêmes zones de force : l'Ouest, l'Est ainsi que le Sud-Est (Savoie, Isère, Loire, Ardèche). La progression de ses résultats confirme la constance d'un électorat catholique qui lui reste fidèle. D'ailleurs sur les 17 départements où la CFTC enregistre sa plus forte progression (plus de 2 points) c'est à trois exceptions près (Gers, Maine-et-Loire, Morbihan) dans des départements où la CFDT a reculé. C'est donc à cette dernière qu'elle a pris des suffrages [1]. Mais la CFTC

---

1. Départements où la CFTC progresse de plus de 2 points : Cantal, Charente-Maritime, Côte-du-Nord, Eure, Finistère, Gers, Loir-et-Cher, Lozère, Maine-et-Loire, Meuse, Morbihan, Nièvre, Pyrénées-Atlantiques, Sarthe, Haute-Savoie, Territoire de Belfort.

est également en concurrence avec les syndicats indépendants et les divers. Là où FO et la CFTC sont forts, les autonomes et les divers n'existent pratiquement pas. Ce qui confirme que la CFTC attire à elle un électorat très modéré au plan national qui, dans l'entreprise, se porte sur les listes de non-syndiqués.

La CFTC enfin présente l'homogénéité sectorielle la plus grande (toutes proportions gardées avec la hauteur de ses résultats) avec un point fort dans les activités diverses où elle atteint 11,8 % et une zone de faiblesse dans l'industrie (6,8 %) où elle gagne cependant un point par rapport à 1979.

La CGC : une première place confortée

La CGC est nettement le premier syndicat de cadres avec 41,4 % des suffrages exprimés dans l'encadrement. Elle recueille plus de 45 % de suffrages cadres dans 27 départements de France essentiellement dans l'Est (Lorraine, Franche-Comté), le Nord et la Picardie, la Normandie et les pays de Loire, le Centre. Elle dépasse 50 % dans 7 départements : Aube, Doubs, Marne, Meurthe-et-Moselle, Meuse, Saône-et-Loire, Belfort.

Elle progresse par rapport à 1979 de 4,4 points dans l'ensemble des collèges, étant observé qu'elle a présenté beaucoup plus de candidats en 1982 qu'elle ne l'avait fait en 1979 : 43,4 % de sections sans candidats contre 72,5 % en 1979.

Dans l'encadrement où elle progresse de 5,4 points elle a bénéficié à la fois d'une meilleure présence de ses candidats (0,4 % de section sans candidats contre 2,3 % en 1979) et d'une conjoncture favorable au moment où nombre de cadres ne cachaient pas leurs critiques à l'égard des mesures fiscales et des réformes sociales du gouvernement. Le changement de sigle de la CGC en «Confédération de l'encadrement» n'est pas seulement une décision circonstancielle et publicitaire. Elle correspond à la mutation d'une organisation catégorielle de plus en plus désireuse d'attirer à elle une catégorie socioprofessionnelle en expansion démographique et en quête d'identité.

IV - L'émergence d'un nouveau paysage syndical

La lente évolution du rapport des forces entre les organisations est le signe le plus marquant de la transformation du paysage syndical français. Les écarts entre les résultats des élections prud'homales et ceux des élections aux comités d'entreprises qui ne concernent qu'une partie, réputée parfois non représentative, du total des salariés sont d'autant plus modestes que toutes les consultations confirment les mêmes tendances.

Les mutations souvent très rapides des structures économiques (concentration des entreprises, industrialisation accélérée de certains secteurs, déclin d'activités traditionnelles...), l'évolution des mentalités et des comportements symbolisée par l'explosion de 1968, et peut-être aussi la «crise» des idéologies, modifient progressivement l'échiquier syndical. Les organisations syndicales constituent cependant un pilier de stabilité dans la société française. Rares sont les structures qui, confrontées à des mutations aussi profondes et rapides, ont su autant allier la conservation de leurs traits traditionnels avec une modification progressive des caractéristiques de leur emprise sur les groupes sociaux.

La redistribution des forces demeure en tout état de cause limitée aux seuls partenaires reconnus comme juridiquement représentatifs. Aucune autre organisation n'a pu obtenir de siéger à la table des 6 grands (CGT, CFDT, FO, CFTC, CGC, FEN).

Tout se passe comme si ces «grandes» confédérations, avec leurs visages spécifiques mais complémentaires, suffisaient à représenter toute la diversité des opinions et des sensibilités françaises : les voix qui, en 1962, s'étaient portées sur les listes mutualistes ou familiales aux élections à la Sécurité sociale se sont reconverties sans problème sur les syndicats qui leur paraissaient les plus proches de ces milieux. De même, les électeurs des petites entreprises de moins de 50 salariés, et *a fortiori,* de moins de 10 salariés, ont su se répartir entre Force ouvrière, la CFTC et la CGC sans être tentés par les listes «indépendantes».

Cet univers stable, presque fermé qui ne semble guère laisser de place à de nouveaux acteurs ou à une distribution différente des rôles n'est cependant pas figé. Peut-être en est-il du système syndical comme de ces étoiles qui continuent à briller alors qu'elles n'existent plus. L'image des structures anciennes demeure forte ; ne dissimule-t-elle pas cependant une réalité nouvelle encore difficile à cerner tant demeurent prégnantes les apparences traditionnelles ?

Une autre lecture des élections prud'homales est en effet possible si on fait abstraction du secteur industriel qui imprime à lui seul la physionomie de l'ensemble en raison de son poids. Dans l'agriculture, le commerce, l'encadrement (les activités diverses sont un fourre-tout trop hétérogène pour être significatif), la distribution des forces est à la fois différente et beaucoup plus diversifiée bien que, localement, l'industrie constitue un pôle d'attraction sur les autres secteurs. Le jeu est plus ouvert et ne se limite pas à miser sur un déclin de la CGT lié à la diminution des industries traditionnelles. De nouveaux comportements se dessinent, signe d'une société plus éclatée, entre des groupes socioprofessionnels séparés par des divergences sérieuses d'intérêts, prêts à bénéficier d'une conjoncture favorable pour étendre leur recrutement à une clientèle plus vaste mais hétérogène et sans doute instable.

La question majeure pour l'avenir est bien celle de la pérennité d'un système de représentation des forces sociales hérité des habitudes industrielles avec ce qu'elles comportent de fidélité aux traditions ouvrières, aux principes d'organisation des entreprises, aux habitudes de la société militaro-industrielle ancienne. Jusqu'à présent, les situations qui s'écartent des caractéristiques globales des forces syndicales apparaissent comme des cas particuliers, des exceptions accidentelles. L'hypothèse ne peut cependant pas être écartée de l'émergence future d'une nouvelle distribution des forces.

Le poids grandissant de nouveaux secteurs industriels comme l'agroalimentaire ou le nouveau tertiaire dans lesquels les jeux ne sont pas faits entre organisations syndicales, l'évolution des qualifications et le développement de nouvelles formes d'emplois peuvent provoquer, dans l'avenir, un bouleversement considérable du paysage syndical. L'hypothèse ne peut être écartée que la distribution des forces qui a été observée dans le commerce, l'agriculture ou l'encadrement prenne rapidement une consistance plus marquée.

Dans tous les pays occidentaux, le pluralisme correspond à la fois à un clivage idéologique entre sensibilités politiques différentes et à une répartition socioprofessionnelle du «marché» des salariés: à chaque confédération son groupe socioprofessionnel... Le pluralisme n'est plus alors qu'une façon commode pour des organisations distinctes de gérer les intérêts opposés de catégories socioprofessionnelles différentes. N'est-ce pas l'émergence de ce phénomène qui se produit en France?

5. L'enracinement à gauche de la clientèle des syndicats

La politisation des syndicats est le plus souvent appréciée de façon institutionnelle et idéologique. Le nombre et la cordialité des rencontres avec les dirigeants politiques, les manifestations communes, les convergences doctrinales dans les prises de position constituent autant de moyens habituels de mesurer l'intensité des liens entre syndicats et partis. Accessoirement les engagements politiques des syndicalistes fournissent quelques nuances complémentaires encore qu'à l'exception de la CGT où tous les postes-clefs de la confédération, des fédérations et des unions départementales [1] sont détenus par des responsables du PCF, l'adhésion d'André Bergeron ou d'Edmond Maire comme adhérents de base du PS n'autorise aucune conclusion en ce qui concerne leurs confédérations respectives.

En fait ces modes de relations ne sont pas les plus déterminants. C'est dans l'évolution même des structures sociales (urbanisation, salarisation de la plus grande partie de la population, transformations culturelles et morales) qu'il faut chercher les convergences fondamentales entre partis de gauche et syndicats. En cela la victoire de la gauche en mai 1981 n'est pas accidentelle. Elle résulte moins de la mobilisation des syndicats que de l'identité de clientèles dont la place ne cesse de croître en sein de la société française. Syndicats et partis de gauche sont liés parce qu'ils

---

1. Voir, par exemple, la brochure établie vraisemblablement à partir d'informations policières, « la Mainmise ou comment le PCF dirige la CGT », publié par *Libertés pour la démocratie sociale*, mars 1980, n° 13.

représentent et défendent les même catégories sociales dans des termes souvent analogues : plus que de politisation des syndicats ne conviendrait-il pas d'ailleurs de parler de syndicalisation des partis tant leurs discours a emprunté aux revendications de ceux-ci ?

Les auteurs de *France de gauche, vote à droite,* tout en soulignant à propos des élections de 1978, que « c'est dans les deux grands groupes de salariés, ouvriers et couches moyennes salariés que la gauche trouve ses principaux soutiens [1] » introduisent une nuance à propos de cette identité de clientèle : « Chez les ouvriers, l'idéologie de gauche est essentiellement structurée autour des valeurs de défense collective des intérêts des travailleurs. Dans les couches moyennes salariés, où cette dimension est présente mais moins importante, vient s'ajouter celle du libéralisme culturel, ce qui indique que cette catégorie sociale est sensible à d'autres enjeux que les seuls enjeux socio-économiques. »

Contrairement à l'affirmation que la France se gouverne au centre, ce qui ne signifie guère que le rejet des extrêmes, l'analyse des structures sociales montre que toute majorité politique passe par la confiance de l'électorat des classes moyennes salariées. Le parti socialiste, beaucoup plus que le PCF, a ainsi su diversifier considérablement sa base sociologique en une décennie. A l'image des syndicats qui ont progressivement élargi leur recrutement à toutes les catégories de salariés tout en conservant les traits culturels de leurs origines ouvrières, les partis de gauche — et tout spécialement le PS — ont su non seulement reconquérir leurs bases ouvrières perdues avec l'avènement du gaullisme mais s'attacher un nouvel électorat de classes moyennes.

Assurément le pouvoir politique des syndicats tient plus au contrôle social qu'ils exercent sur les salariés qui ont assuré la victoire de la gauche qu'à l'ampleur de leur mobilisation au moment de la campagne électorale. Au contraire de la période du programme commun (1972-1977), les syndicats n'ont guère eu en 1980-1981 la tentation de chercher une issue politique à leur stratégie revendicative : tandis que les dirigeants de la CGT se mobilisaient avec l'amélioration du score de Georges Marchais pour seul objectif, FO campait sur son apolitisme traditionnel et la CFDT, en pleine « resyndicalisation », entretenait des rapports frais avec le PS et attendait les résultats du premier tour pour sortir de son scepticisme critique.

---

1. *France de gauche, vote à droite,* Jacques Capdevielle, Élisabeth Dupoirier, Gérard Grunberg, Étienne Schweisguth, Colette Ysmal, Paris, Presses de la FNSP, 1981, p. 146 sqq.

Au contraire des pays sociaux démocrates où la cohésion entre syndicats et partis est, pour beaucoup, assuré « par le haut » grâce aux liens organiques entre les appareils, en France c'est par « le bas », au niveau de l'électorat que forces syndicales et politiques marquent leurs convergences. Cette spécificité explique que la clientèle de la CGT accepte sans contestation majeure « la courroie de transmission » avec le PCF : l'identité des fonctions est ressentie comme un signe d'appartenance à un même milieu, fidèle aux mêmes traditions culturelles et politiques. Pour une large part, la dynamique du succès électoral échappe donc largement aux intiatives des directions. La gauche en a fait l'expérience à ses dépens en 1958 quand son électorat l'a massivement abandonné, mais à son profit en 1981 : qui s'attendait dans les états-majors politiques et syndicaux au succès ? Le processus risque bien de se renouveler lors d'une prochaine échéance.

I - La tradition du vote ouvrier à gauche

La tradition politique ouvrière est historiquement identifiée à la gauche. Des débuts de la société industrielle jusqu'aux premières années de la IIIe République, « nombre d'ouvriers étaient simplement républicains » note André Siegfried [1] avec parfois des engouements bonapartistes comme en témoigne le soutien populaire à Napoléon III ou au général Boulanger. Après le recul momentané du mouvent ouvrier au lendemain de la Commune, l'orientation à gauche des ouvriers progresse au fil des années. Toutefois dans un pays rural, le vote ouvrier n'est qu'une composante minoritaire du vote à gauche dont les bastions (la région méditéranéenne, le centre...) ne coïncident pas avec les foyers de développement industriel, sauf dans le nord. Les événements politiques, intérieurs ou internationaux et la révolution industrielle se conjuguent pour accentuer la spécificité du vote ouvrier qui cumule en 1936 et aux premiers scrutins de la libération. Depuis ce sommet, la tendance se renverse-t-elle comme le suggère René Mouriaux dans l'Ouvrier français [2] ?

Le gaullisme et la rupture du sinistrisme

Pour schématique que soit la périodisation, trois moments doivent en fait être distingués.

---

1. André Siegfried, *Tableau des partis en France*, Paris, Grasset, 1930, p. 67.
2. *l'Ouvrier français*, en 1970, *op. cit.*, p. 73.

• *La constance du vote ouvrier en France* sous la IVe République a été bien soulignée par Mattéi Dogan; sur la moyenne des cinq élections législatives de la IVe République, soit jusqu'en 1958, «La moitié environ des électeurs de condition ouvrière ont voté pour le parti communiste, un sixième (16 à 17 %) pour la SFIO et un tiers pour les autres partis notamment pour le MRP et le RPF [1]». Aux deux élections législatives de 1951 et de 1956, la même situation se retrouve: «Si l'on admet que la moitié des électeurs et des électrices de condition ouvrière ont voté communiste, il faut admettre du même coup que les sept dixième des votants communistes sont de condition ouvrière [2]». De même les 16-17 % d'ouvriers votant socialiste signifient-ils que 41-42 % des électeurs socialistes sont de condition ouvrière et les 34-35 % d'ouvriers se prononçant pour d'autres partis correspondent-ils à 21 % du total de leur électorat?

• *Une rupture s'opère, avec les débuts de la Ve République,* en 1958, le parti communiste enregistre une perte sensible; passant de 5 530 000 voix en 1956 à 3 882 000, soit de 25,7 % des voix à 18,9 %, il perd 30 % de sa force électorale. A supposer que la part des ouvriers parmi les électeurs communistes soit demeurée constante (70 %), le PCF n'aurait alors recueilli que 36 % des suffrages de la classe ouvrière, soit 2 700 000 voix sur un total de 7 600 000 suffrages ouvriers exprimés. Pour la même élection, le parti socialiste maintient sa force par rapport à 1956 et, très vraisemblablement, améliore légèrement sa base ouvrière: 19 % (contre 16-17 %), soit 44 % d'ouvriers parmi ses électeurs.

Au total, la gauche (PCF plus SFIO) recueille alors 55 % des voix ouvrières et les autres partis 45 %. La classe ouvrière, tout en continuant à voter majoritairement à gauche, ne peut plus s'identifier avec celle-ci. Au-delà de son aspect quantitatif, ce changement révèle deux caractéristiques du système des forces politiques:

— On aurait pu croire que le recul des voix communistes accroîtrait la proportion des ouvriers parmi son électorat, «que la classe ouvrière lui resterait relativement plus fidèle que la paysannerie ou les classes moyennes [3].» Or, l'inverse s'est produit en 1958: les départements ruraux, sous-développés économiquement, ont mieux résisté que les régions très industrialisées. Dominé par la tradition ouvrière, le PCF n'est-il pas condamné en fait à dépasser cette base trop étroite et à

---

1. Mattéi Dogan, «les Clivages politiques de la classe ouvrière», *in les Nouveaux comportements politiques de la classe ouvrière,* ouvrage collectif sous la direction de Léo Hamon, PUF, 1962, p. 112 sqq.
2. *Ibid.*
3. *Ibid.,* p. 117.

regrouper dans tous les milieux sociaux ceux qui refusent le changement ou s'en inquiètent? Les travaux de réflexion théorique des économistes et des philosophes communistes pour donner de la classe ouvrière une définition plus conforme à la réalité sociologique de l'électorat du parti attestent d'ailleurs de la prise de conscience progressive de cette évolution au sein du PCF.

— La perméabilité entre le PCF et le parti socialiste a été faible en 1958. Beaucoup d'ouvriers déçus par le parti communiste ont préféré reporter leur vote sur les candidats gaullistes plutôt que de voter SFIO. Le PCF s'est accoutumé à ce transfert qui lui paraît finalement un moindre mal. La rupture de l'union de la gauche en 1977/1978 n'a pas d'autre cause que la prise de conscience de la fin de cette allergie ouvrière à l'égard du parti socialiste. Il n'était pas admissible pour le parti communiste de constater que la dynamique de l'union de la gauche aboutissait au renforcement de la base ouvrière du parti socialiste.

Malgré les écarts dus aussi bien à la diversité des types de consultation électorale (législatives, présidentielles, referendum) qu'à la complexité des enjeux et des alliances au moment de la guerre d'Algérie, toute la période gaullienne de la Ve République demeure marquée par ce partage presque égal des voix ouvrières entre la gauche et une majorité, au sein de laquelle les gaullistes peuvent se prévaloir d'une réelle assise ouvrière: «la foule du métro aux heures de pointe», selon l'ancienne définition du RPF à ses débuts. En 1969 encore, Georges Pompidou recueille autant de suffrages ouvriers que Jacques Duclos et les candidats de gauche dans leur ensemble ont, en milieu ouvrier, un score inférieur à ceux de Georges Pompidou et Alain Poher [1]. «Nous sommes en présence, indique *l'Ouvrier français,* d'un groupe social qui est sur le plan politique profondément divisé, pour ainsi dire en deux parties égales, dont le comportement verbal demeure polarisé par le modèle de gauche et dont le comportement électoral est de plus en plus dominé par le modèle de la droite [2].»

---

1. Cf. *l'Ouvrier français, op. cit.,* p. 193, vote des ouvriers à l'élection présidentielle:

- G. Defferre	4
- L. Ducatel	1
- J. Duclos	21
- A. Krivine	1
- A. Poher	14
- G. Pompidou	23
- M. Rocard	3
- Sans réponse et abstentions	35
	100

2. *Ibid.,* p. 75.

• *La tendance s'est cependant renversée à nouveau.* On assiste à un renouveau de l'influence des partis de gauche chez les ouvriers et plus largement chez les salariés qui ont assuré le succès de François Mitterand et des partis de gauche en mai-juin 1981. Ce redéploiement, amorcé depuis une quinzaine d'années, ne marque pas un retour à la situation antérieure. Les partis politiques ne coïncident nuellement avec une classe sociale déterminée. Le phénomène majeur est la prépondérance croissante, au sein de la société française, des salariés qui sont d'ailleurs loin de constituer un groupe homogène. Or, les partis de gauche et notamment les socialistes ont su davantage que les partis de droite s'identifier à cet électorat composite dont le gonflement est directement lié aux mutations économiques de la France depuis un quart de siècle. La gauche est devenue le parti des salariés, c'est-à-dire d'un groupe socioprofessionnel dominant mais qui a perdu les traits spécifiques de la classe ouvrière d'antan.

L'hétérogénéité de la classe ouvrière

Sans entrer ici dans le débat méthodologique sur la définition de la classe ouvrière, celle-ci ne se limite plus aux seuls ouvriers. L'analyse sur longue période des comportements électoraux de la classe ouvrière doit tenir compte que ses frontières sont devenues extensives et sa définition imprécise et subjective. Les cadres — et jusqu'à quel niveau hiérarchique? — en font-ils partie? Où situer les fonctionnaires qui, pour les marxistes stricts, ne sont pas créateurs de plus-value et échappent donc à la classification des groupes sociaux à partir de leur place dans les rapports de production? Pourquoi y rattacher, comme le fait le PCF, les «petits producteurs marchands», tels les artisans ou certains agriculteurs, au motif que l'évolution capitaliste les condamne à la disparition [1]. Mattéi Dogan cède à une simplification abusive lorsqu'il affirme «la classe ouvrière est minoritaire dans le corps électoral, et le restera fort probablement, car le développement économique se caractérise par un accroissement du secteur tertiaire [2].» Comme si les salariés du tertiaire et, notamment, les employés, n'étaient pas partie intégrante de la classe ouvrière...

---

1. «La loi du développement capitaliste fera que plus tard, ou bien il pourra (le petit producteur marchand) employer des salariés, ou bien il sera obligé de vendre ses moyens de production.» Karl Marx, *Theories of surplus value,* Foreign languages Publishing house Moscow, 1954, trad. E. Borns, t. 1, p. 395.
Sur la place des artisans dans les classes sociales, voir Christine Jaeger, *Artisanat et Capitalisme,* thèse de doctorat, université de Reims, février 1978, 2 tomes.
2. Mattéi Dogan, *op. cit.,* p. 101.

A l'évidence, celle-ci n'est plus composée uniquement d'ouvriers, mais on ne saurait, pour autant, y inclure tous les salariés et parfois encore une partie des travailleurs indépendants. Dans *la Lutte des classes en France* Marx n'avait pas tort de dénombrer sept grandes classes sociales et Proudhon de parler DES classes ouvrières [1]. Serge Mallet note avec justesse que « attachés à définir un rôle spécifique de la classe ouvrière, les marxistes ont souvent été amenés à déduire du concept philosophique du prolétariat une unité sociologique de la classe ouvrière, qui, en réalité, n'a jamais existé [2]. »

Dans une classification des catégories socioprofessionnelles en termes de classes, les auteurs de *France de gauche, vote à droite* distinguent par exemple cinq groupes sociaux : les petits travailleurs indépendants (agriculteurs, artisans, petits commerçants), la bourgeoisie (industriels, gros commerçants, professions libérales, cadres supérieurs), les couches moyennes salariées (professeurs, employés, techniciens...), les ouvriers (y compris les contremaîtres) et les employés du commerce et des services, distincts des deux groupes précédents.

Aussi, aurait-on tort de chercher des correspondances simples entre groupes sociaux et comportements politiques. Les uns et les autres évoluent avec leur logique spécifique et les liens qui les relient ne sont ni constants ni toujours de même nature : « Les rapports entre les structures sociales, les déterminations économiques et les attitudes politiques ne sont jamais des rapports directs. Ils passent à travers une série de médiations parmi lesquelles les traditions culturelles, les traditions historiques, le rôle des leaders et des personnalités jouent un rôle particulièrement important [3]. »

Cependant, même si des lois précises sur les rapports entre classes sociales et attitudes politiques ne peuvent guère être établies, toutes les enquêtes d'opinion qui se sont multipliées à l'occasion des consultations électorales sont suffisamment convergentes pour authentifier l'hypothèse d'un récent « gauchissement » des comportements électoraux des salariés. Tous les sondages sur les intentions de vote font, en effet, régulièrement apparaître que :

— les salariés dans leur ensemble votent plus à gauche que la totalité du corps électoral ; à l'intérieur du groupe des salariés, les ouvriers se situent plus à gauche que les employés et les cadres ;

---

1. Pierre-Joseph Proudhon, *de la capacité politique DES classes ouvrières*, Paris, E. Dentu, 1865.
2. Serge Mallet, *la Nouvelle classe ouvrière, op. cit.* p. 25.
3. *les Nouveaux comportements politiques de la classe ouvrière, op. cit.*, contribution de Serge Mallet « l'Audience politique des syndicats », p. 145/146.

— l'adhésion syndicale est un facteur fortement discriminant qui amplifie les spécificités socioprofessionnelles : les syndiqués votent massivement à gauche quelle que soit leur organisation ou leur statut, tandis que la majorité des non-syndiqués vote à droite.

Ces données ne sont pas nouvelles. Mais leur accentuation récente constitue une novation importante, surtout en tenant compte de l'évolution démographique depuis l'après-guerre : entre le recensement de 1954 et celui de 1975, si la part des employés du commerce et des services n'a que peu progressé dans la population active (9 % contre 8 %), celle des ouvriers (maîtrise inclue est passée de 34 % à 38 % tandis que le vaste groupe des « couches moyennes salariées » doublait presque ses effectifs : 25 % contre 15 %. Parallèlement les commerçants, artisans et exploitants agricoles voyaient leur importance diminuer de plus de moitié (14 % de la population active au lieu de 31 %), les industriels, les professions libérales et cadres dirigeants passant, de leur côté, de 4 à 6 %.

II - La reprise de l'évolution à gauche des salariés

La percée socialiste chez les salariés

La spécificité du comportement des ouvriers, des employés et des cadres moyens est constante mais d'amplitude irrégulière.

Chez les ouvriers, les intentions de vote à gauche ont été en progression constante aux élections législatives depuis 1976 jusqu'en 1978 : alors qu'un peu moins de la moitié des ouvriers indiquaient vouloir voter à gauche en 1967, actuellement, le pourcentage s'établit autour de 70 % (71 % en 1978, 69 % en 1981). (Voir le tableau en annexe 8).

Un phénomène analogue mais de plus grande ampleur existe chez les employés et cadres moyens. Alors qu'en 1967, 40 % du groupe seulement manifestait l'intention de voter à gauche, le pourcentage a atteint 63 % en 1981. Cette progression s'est faite aux dépens des partis de droite (UDF et gaullistes) mais aussi des « divers » dont la pénétration dans ce milieu a été divisée par 5 (2 % d'intentions de vote en 1981 contre 10 % en 1967). Elle a toutefois subi un coup d'arrêt lors des élections législatives qui ont suivi les événements de 1968. L'attrait pour la gauche s'accorde mal de mouvements sociaux de grande ampleur où, dans les entreprises, employés et cadres moyens s'alignent sur des organisations syndicales pétries d'ouvriérisme.

Chez les ouvriers, ce mouvement général a profité au PCF jusqu'en 1978 : 31 % d'entre eux déclaraient vouloir voter communiste en 1967 et 36 % en 1978. Mais, en 1981, la pénétration communiste chez les ouvriers a fortement régressé : un ouvrier sur quatre seulement déclarait avoir voté communiste aux législatives. Au premier tour de l'élection présidentielle, le score de Georges Marchais avait été quelque peu meilleur (30 % d'ouvriers déclaraient avoir voté pour lui) mais inférieur à celui de François Mitterrand (33 %) sachant que la totalité des candidats de gauche atteignait, comme pour les législatives, 70 % des voix en milieu ouvrier.

Au total, c'est la gauche non communiste qui a le plus reconquis le vote ouvrier. Elle a bénéficié d'un double apport : d'abord, comme le parti communiste, de ceux qui se sont progressivement détourné des partis de droite et notamment des gaullistes, puis de ceux qui, entre 1978 et 1981, ont cessé de soutenir les communistes. Alors que seulement 18 % des ouvriers exprimaient une intention de vote en faveur des socialistes en 1967 et 1968, leur pourcentage a atteint 44 % aux législatives de 1981, avec un taux de pénétration supérieur de 11 points à celui de François Mitterrand en mai. A l'évidence, le PCF qui, au moment de la rupture de l'union de la gauche en 1977, avait la conviction que la signature du programme commun de 1972 avait surtout profité au parti socialiste, a dû mesurer depuis combien ce dernier avait encore davantage bénéficié de cette rupture.

Dans le groupe des « employés - cadres moyens », la situation présente quelques différences : le PC n'y a nullement progressé, sauf en 1968 où il a bénéficié d'un transfert d'intentions aux dépens des socialistes. Ces derniers cependant ont ensuite largement remonté ce handicap passager puisque, en moins de 15 ans, de 1966 à 1981, le pourcentage « d'employés-cadres moyens » annonçant leur intention de voter pour le PS ou les radicaux de gauche a triplé : 15 % en 1968, 45 % en 1981.

Le recul gaulliste en milieu ouvrier

A l'intérieur de l'ancienne majorité, le recul global de l'influence chez les ouvriers, employés et cadres moyens n'est pas identique suivant les formations. L'apparition de l'UDF, formation composite qui ne s'inscrit pas exactement dans la tradition centriste pour une de ses composantes, les républicains indépendants, est encore trop récente pour que l'on puisse apprécier si sa cote évolue plus favorablement chez les salariés que celle du RPR. Mais elle semble avoir assez bien résisté chez les ouvriers : alors que les gaullistes ne recueillaient plus que 14 % des intentions de vote en 1978 et 1981 contre 30 % en 1967 et 31 % en 1968, l'UDF a globalement progressé (15 % en 1981 contre 10 % en 1978). D'ailleurs, aux élections présidentielles, le score de Valéry Giscard d'Estaing, chez les ouvriers, semble avoir été meilleur que celui de Jacques Chirac (12 % d'intentions de vote contre 10 %).

Dans le milieu des employés et cadres moyens, les composantes de l'UDF sont même en léger progrès (avec un recul cependant entre 1973 et 1978) tandis que, là aussi, les gaullistes RPR ont perdu plus de la moitié de leurs intentions de votre entre 1968 et 1981. En admettant, par convention, que l'UDF s'insère dans la tradition des partis centristes et réformateurs et en négligeant les divers qui se répartissent aussi bien à droite qu'à gauche, l'évolution des intentions de vote chez les salariés peut être ainsi schématisée depuis 1967 :

	PCF	PS + Rad. Gauche	Centre, Réform. UDF	Gaullistes
Ouvriers	–	+ +	+	– –
Employés. Cadres moyens	=	+ +	=	– –

Dans le groupe des ouvriers dont l'importance relative décroît chez les salariés, les socialistes sont ceux qui profitent le plus du fort recul des gaullistes, mais apparemment une frange des ouvriers votant gaulliste a reporté sa préférence sur l'UDF. Chez les «employés-cadres moyens», catégorie socioprofessionnelle en croissance numérique, l'ancienne majorité perd globalement de l'influence mais la composante centriste maintient ses positions depuis 1973 tout comme les socialistes, alors que les gaullistes perdent du terrain et que les communistes restent stables [1].

La redistribution des forces au sein de la gauche

Au total, la proportion d'ouvriers votant à gauche (70 % environ) est supérieure à ce qu'elle était entre 1946 et 1958 (65/66 %), après s'être abaissée à moins de la moitié entre 1958 et 1968. Le retour à l'équilibre antérieur à la Ve République s'accompagne toutefois d'une redistribution interne importante : le parti communiste qui drainait à lui seul la moitié des suffrages ouvriers sous la IVe République n'en recueille plus

---

1. Ces évolutions des salariés ont un caractère relatif : elles ne vont pas en sens inverse de ce qui s'observe pour l'ensemble du corps électoral ; suivant les périodes et les partis politiques, l'évolution accentue ou, au contraire, atténue le mouvement général.
En raison de l'importance des personnes économiquement non actives (étudiants, retraités par exemple) dans la population électorale, les instituts de sondage redistribuent généralement ces personnes en fonction de la situation socioprofessionnelle du chef de famille. Sauf indication contraire les indications relatives aux catégories socioprofessionnelles sont celles du chef de famille.

actuellement qu'entre le quart et 30 % suivant les types de scrutins. Le parti socialiste qui bénéficiait de 16/17 % des voix ouvrières, il y a un quart de siècle, a enregistré un bond spectaculaire lors des trois dernières élections législatives. Son renouveau depuis le congrès d'Épinay de 1971 lui a permis une percée spectaculaire puisqu'en 1981 un peu moins de la moitié des ouvriers indiquait avoir voté socialiste aux législatives.

Finalement la percée gaulliste en milieu populaire n'a pas survécu longtemps au retrait du général de Gaulle. Ses successeurs pourtant si soucieux de se réclamer du fondateur de la Vᵉ République n'ont pas conservé longtemps cet héritage-là. Peut-être, depuis 1974, la crise économique a-t-elle accéléré un mouvement qui lui est cependant antérieur. Ce changement dans la composition sociologique des forces politiques est lourd de conséquences pour l'avenir politique.

Les gaullistes et les composantes — même critiques — du giscardisme devront, à défaut d'une percée improbable en milieu ouvrier, cesser de privilégier leur électorat traditionnel (les agriculteurs, les inactifs, les chefs d'entreprise et les professions libérales) pour attirer la masse des employés et cadres moyens s'ils veulent reconquérir la majorité.

III - *La rivalité PS/PC chez les ouvriers et les employés*

La structure socioprofessionnelle des électorats constitue l'aspect complémentaire de l'analyse des intentions de vote de chaque groupe socioprofessionnel. Même si parfois les différences entre les sondages effectués aux mêmes moments et avec des échantillons pourtant comparables par plusieurs instituts de sondage aboutissent à des résultats quantitativement différents, les données recueillies ne sont pas, sauf rares exceptions, divergentes (voir le tableau de l'annexe 7).

Le PS : un parti de fonctionnaires, d'employés et de cadres moyens

De tous les partis politiques, le PCF est celui qui possède le plus fort pourcentage d'ouvriers parmi ses électeurs malgré son recul en 1981 : 40 % contre la moitié lors des élections législatives précédentes. Corrélativement à la modification des intentions de vote chez les ouvriers, la part de ces derniers dans l'électorat communiste a donc sensiblement décru depuis la IVᵉ République puisqu'elle était alors de 71 %.

Chez les socialistes et les radicaux de gauche, les ouvriers représentent régulièrement le tiers de l'électorat contre 41-42 % en 1951-1956.

Compte tenu de la progression globale du parti socialiste depuis 1967 [1], cette stabilité du pourcentage signifie, comme l'a montré l'évolution des intentions de vote, une percée non négligeable dans cette catégorie. Tous les partis de droite ont une proportion d'ouvriers sensiblement inférieure à leur importance dans la population française (30 %). Chez les gaullistes, les ouvriers représentent 18 % du total de l'électorat, soit un peu plus qu'en 1978 (16 %) mais sensiblement moins qu'en 1967 (27 %). L'UDF obtient un score légèrement supérieur, suivant les enquêtes de la Sofres : 21 % en 1981 contre 16 % en 1978.

Longtemps considéré comme un parti de fonctionnaires, le parti socialiste tend à devenir un parti d'employés et de cadres moyens. Tout comme l'extrême gauche dont la structure professionnelle est très proche de celle des socialistes, sous la seule réserve que la part des ouvriers dans l'électorat de l'extrême gauche est plus forte qu'au PS mais moins élevée que chez les communistes. A l'évidence les employés sont moins nombreux que les ouvriers à soutenir le PS, mais leur part va croissante : oscillant entre 19 % et 16 % de 1965 à 1968, elle a atteint le quart en 1978 et 26 % en 1981. Sur la base de ces estimations environ 1 705 000 électeurs appartenant au milieu des « employés-cadres moyens » ont voté socialiste au premier tour des législatives contre un peu moins d'un million en 1973.

De toutes les formations, le PS est celle qui comporte la plus grande proportion d'électeurs « employés ou cadres moyens ». Sans doute tous les partis — sauf les gaullistes — enregistrent-ils une progression dans cette catégorie qui représentait 21 % de la population française adulte en 1978 contre 15 % en 1967, mais ce sont surtout les socialistes et, à moindre degré, les communistes qui traduisent le mieux cette transformation dans leur structure socioprofessionnelle. Chez les communistes, les employés-cadres moyens représentent en effet 22 % de l'électorat en 1981 (contre 17-18 % entre 1968 et 1978).

Les employés et cadres moyens qui étaient sur-représentés chez les gaullistes y sont maintenant à un niveau moindre que dans l'ensemble de la population. A l'UDF, les employés-cadres moyens sont en même proportion que dans l'ensemble de la population.

Au total, de tous les partis, le PS est celui dont la structure reflète le mieux celle de la population française adulte avec une légère sur-

---

1. Le PS a recueilli 22,6 % des voix au 1er tour des législatives de 1978 (28,3 % pour le 2e tour), contre 15 % en 1951, 19 % en 1958, 12,6 % en 1962, 18,9 % en 1967 sous le label « Fédération de la gauche », 20,3 % en 1973 sous le titre FGDS.

représentation des employés et une proportion un peu inférieure d'agriculteurs et d'inactifs. Il est particulièrement significatif que les cadres supérieurs, les patrons et les professions libérales soient aussi présents dans l'électorat socialiste que dans la population française (16 %). Chez les communistes, ce groupe est évidemment sous-représenté mais demeure stable: 8 % des électeurs communistes. Les socialistes ont enregistré des résultats irréguliers dans cette catégorie composite qui semble en définitive compter de plus en plus dans son électorat.

Analysant l'orientation politique des cadres salariés, Gérard Grunberg et René Mouriaux émettent l'idée d'un récent glissement à gauche des cadres. Alors qu'en 1973, 52 % des cadres votaient pour des candidats de droite (contre 44 % pour l'ensemble des inscrits), selon une enquête effectuée au lendemain des élections législatives de mars 1978 « 44 % disent avoir voté à gauche et 31 % à droite ; 20 % se sont abstenus et 5 % ont voté pour les candidats écologistes ou ont refusé de répondre. A gauche 25 % ont choisi le PS ou le MRG et 15 % le PC. A droite, l'UDF (18 %) devance le RPR (13 %).» L'examen des préférences partisanes dans la même enquête confirme ce glissement à gauche ; 45 % se sentent proches d'un parti de gauche contre 38 % d'un parti de droite, 4 % expriment leur sensibilité au courant écologique, 13 % refusent de se situer. Le PS (30 %) arrive nettement devant le PC (10 %) et l'UDF (25 %) devant le RPR (12 %) dans la préférence des cadres [1].

Tout se passe donc comme si, avec du retard par rapport aux ouvriers, les cadres s'orientaient de plus en plus à gauche. Cette orientation semble profiter exclusivement aux socialistes: la proportion des cadres supérieurs, professions libérales, patrons est demeurée inchangée dans l'électorat communiste entre 1973 et 1978. Elle a sensiblement progressé chez les socialistes au cours de la même période. Sans doute est-ce là une conséquence possible de la crise économique et du chômage mais également de la diversification d'un groupe qui perd son homogénéité sociale et politique. Gérard Grunberg et René Mouriaux n'ont pas tort de souligner que leur enquête « montre toutefois que l'évolution ne touche pas de la même façon tous les cadres. De plus, la signification même de cette évolution n'est probablement pas identique pour tous ceux qui y participent [2].»

1. Gérard Grunberg, René Mouriaux, *l'Univers politique et syndical des cadres*, Paris, FNSP., 1979, p. 118-119.
2. *Ibid.*

La progression du vote à gauche chez les femmes

L'importance des catégories socioprofessionnelles — avec tout ce qu'elle induit d'origine sociale, de tradition culturelle, d'attitudes à l'égard des dirigeants économiques et politiques — ne doit cependant pas être surestimée dans la mesure où elle recouvre des différences dans l'importance respective des sexes. Tout groupe dans lequel prédominent les hommes vote plus à gauche que l'ensemble du corps électoral. Dans une note de recherche sur «l'ouvrière française et la politique», Jeanine Mossuz-Lavau et Mariette Sineau notent par exemple : «à l'élection présidentielle de 1969, 20 % d'entre elles ont voté pour un candidat de gauche, alors que c'est le cas de 32 % des ouvriers... D'ailleurs les ouvrières se classent elles-mêmes moins souvent à gauche lorsqu'il leur est demandé de se situer par rapport aux grandes familles politiques : 24 % seulement d'entre elles se définissent ainsi, alors que 42 % des ouvriers revendiquent cette appartenance [1].»

Cette constance de la vie politique française est toutefois en train de s'estomper. De façon très régulière, la part des femmes déclarant avoir l'intention de voter à gauche progresse : elle passe d'un tiers en 1967 à près de la moitié en 1978 (49 %) et à 54 % en 1981. Symétriquement, tandis que 56 % des femmes affirmaient voter pour la majorité en 1967 le pourcentage s'abaisse à 47 % en 1978 et à 44 % en 1981. Peut-être faut-il voir là une conséquence de la progression du travail féminin : l'activité professionnelle tendrait à gommer les différences de comportement liées au sexe. Mais l'évolution de la place de la femme dans la société explique sans doute plus largement ce renversement progressif.

La part des femmes dans la population adulte s'est peu modifiée depuis 1967 : on compte toujours un peu plus de femmes que d'hommes (52 % contre 48 %). Malgré le récent renversement de tendance, les femmes continuent à être majoritaires dans l'électorat gaulliste. Elles constituent la moitié de l'électorat UDF, bien qu'on note quelques différences suivant les enquêtes d'opinion.

La redistribution du vote féminin qui, au moins chronologiquement, accompagne le regain du vote à gauche chez les salariés procède sans doute d'une évolution d'ensemble de la société française même si des causes propres à la condition féminine s'y ajoutent. Faute d'enquêtes précises déterminant si le phénomène concerne toutes les femmes quels

---

1. Cf. *Sociologie du travail*, 2-1980, p. 213 sqq.

que soient leur âge, leur statut, leur formation, rien ne permet d'affirmer ou d'infirmer la thèse suivant laquelle la «libération de la femme» la conduirait davantage à voter à gauche sauf à supposer que le vote à droite est le signe d'une absence de conscience politique...

IV - Élections présidentielles et législatives : la similitude des électorats

Les enquêtes effectuées lors des élections présidentielles de 1974 et 1981 indiquent pour les principaux candidats une composition de leur électorat très voisine de celle des partis politiques les soutenant. Les écarts entre les données des différents instituts de sondage sont toutefois loin d'être négligeables sur un certain nombre de points.

• *A gauche*, l'électorat de François Mitterrand est majoritairement composé d'hommes, mais la part des femmes semble croissante. Les ouvriers représentent un peu plus du tiers, sensiblement moins que pour Georges Marchais dont l'électorat est composé, pour moitié, d'ouvriers (pourcentage identique à celui du PCF aux législatives sauf en 1981 où il a décliné). En 1974, l'électorat de François Mitterrand avait une composition intermédiaire entre celle du PCF et celle du PS selon les sondages avec ses 9/12 % des cadres supérieurs, patrons ou professions libérales (8 % au PC, 10 % au PS en 1973 d'après l'IFOP), ses 18/21 % d'employés et cadres moyens (17 % au PCF, 22 % au PS), ses 36/44 % d'ouvriers (51 % au PCF, 31 % au PS), ses 7/9 % d'agriculteurs (5 % au PCF, 11 % au PS) et ses 19/23 % d'inactifs (19 % au PCF, 21 % au PS) [1]. L'absence de communistes alors explique la part légèrement plus forte d'ouvriers par rapport à 1981.

Les enquêtes de la Sofres prenant en compte la profession réelle des personnes interrogées, nuancent quelque peu ces caractéristiques de l'électorat dans la mesure où elles font apparaître nettement qu'une part importante des personnes considérées comme «ouvriers» ne figurent dans cette catégorie qu'en raison de l'activité du chef de famille.

En 1981, la part des ouvriers, stricto sensu, s'abaisse à 23 % dans l'électorat de François Mitterrand (25 % en 1974) qui comprend parallèlement 22 % d'employés et cadres moyens (18 % en 1974) contre 23 % dans les enquêtes suivant la profession du chef de famille et 44 % d'inactifs.

---

1. Enquête effectuée pour *le Nouvel Observateur*, les 20 et 21 mai 1974 auprès d'un échantillon de 2 000 électeurs représentatifs de l'ensemble de l'électorat métropolitain.

• *Du côté de la majorité,* au premier tour, les différences de composition des électorats de Jacques Chirac et Valéry Giscard d'Estaing sont tout à fait parallèles à celles qui existent entre l'UDF et le RPR : meilleure représentation des ouvriers pour le représentant de celui-ci que pour son concurrent. En revanche, les employés, les cadres moyens et supérieurs, les professions libérales et les patrons soutiennent plus massivement Jacques Chirac que Valéry Giscard d'Estaing ce qui dénote une légère différence par rapport aux clientèles de l'UDF et du RPR explicable peut-être par le ton et les orientations de la campagne du maire de Paris. Par rapport à François Mitterrand, l'électorat de Valéry Giscard d'Estaing est particulièrement contrasté : les femmes y sont surreprésentées par rapport à leur importance dans le corps électoral. Cet électorat ne comprend que 21/22 % d'ouvriers, le pourcentage s'abaissant à 12 % si on tient compte de la profession réellement excercée par la personne interrogée [1].

• Au second tour, bien évidemment, *l'apport des voix communistes a accentué la différence entre les deux électorats,* celui du candidat de gauche comptant environ 2,5 fois plus d'ouvriers que celui de l'ancien président de la République. A l'opposé, les professions libérales, cadres supérieurs, patrons ainsi que les agriculteurs sont proportionnellement beaucoup plus nombreux dans l'électorat des candidats de droite que dans ceux de la gauche sans que ces catégories y soient, pour autant, négligeables. En effet, dans le groupe « professions libérales - gros commerçants - cadres supérieurs - industriels », le taux de pénétration de François Mitterrand était en 1981 de 19 % (7 % pour Georges Marchais) contre 24 % pour Valéry Giscard d'Estaing et 36 % pour Jacques Chirac (pourcentage selon la profession de l'interviewé). Au total, la pénétration de tous les candidats de gauche dans cette catégorie a atteint 30 %.

V - La spécificité du comportement des syndiqués

Peu d'enquêtes sur les comportements électoraux prennent en compte l'adhésion syndicale dans l'appréciation des variables explicatives du vote, soit que la question ne soit pas posée aux personnes interrogées, soit que l'effectif des syndiqués par rapport au total de l'échantillon soit

---

1. D'après les sondages Sofres la structure socioprofessionnelle de l'électorat suivant la profession des interviewés est la suivante en 1981 : professions libérales, patrons, commerçants : 11 % ; employés, cadres moyens : 13 % ; ouvriers : 12 % ; agriculteurs : 5 % ; inactifs : 59 %.

trop faible pour être utilement exploité. Les données existantes sont donc très disparates et leur hétérogénéité rend souvent les comparaisons difficiles [1].

Cependant les résultats sont suffisamment typés et convergents pour attester de l'importance majeure de la syndicalisation dans la détermination des choix électoraux (voir le tableau de l'annexe 9).

La droite majoritaire chez les non-syndiqués

Quelle que soit l'appartenance syndicale, les syndiqués, dans leur ensemble, votent plus à gauche que les salariés non-syndiqués. Sauf en 1974, à l'occasion des élections présidentielles, ces derniers semblent même soutenir davantage les partis de la majorité que ceux de la gauche, y compris en milieu ouvrier. Alors que les salariés, tous statuts confondus, votent plus à gauche que l'ensemble du corps électoral les non-syndiqués ont un comportement nettement différent : en 1969, les ouvriers affirmaient une sympathie partisane à gauche pour 58 % d'entre eux, mais pour les non-syndiqués le pourcentage s'abaissait à 47 %. De même aux législatives de 1973, alors que les salariés étaient à 58 % favorables à la gauche (68 % chez les ouvriers, 44 % chez les employés), parmi eux les non-syndiqués déclaraient voter à gauche à raison seulement de 47 %. La tendance s'est-elle retournée en 1974 à l'occasion de l'élection présidentielle (53 % de vote à gauche selon le sondage Sofres des 20 et 21 mai 1974)? L'absence d'enquêtes ultérieures notamment en 1978 et 1981 ne permet pas de répondre à l'interrogation.

Reste que les non-syndiqués ne constituent pas un bloc homogène. Ils se répartissent en fait dans toutes les familles politiques même si, globalement, ils se situent plus à droite que les syndiqués : parmi ceux d'entre eux qui votent à gauche près du quart a voté pour le PCF en 1973 et, chez les ouvriers, près du cinquième (19 %) déclare que le PCF est le parti dont il se sent le plus proche (28 % pour le total des ouvriers).

De même, du côté de la majorité, les non-syndiqués se répartissent entre toutes ces composantes avec une concentration sans doute légèrement plus forte chez les gaullistes.

90 % de cégétistes pour la gauche

Les cégétistes constituent le groupe social le plus ancré à gauche : 90 % d'entre eux votent à gauche. Il semble y avoir là une constante

---

1. Voir la légende du tableau sur les comportements politiques des syndiqués pour les caractéristiques des enquêtes utilisées (annexe 9).

structurelle, dans la composition de la CGT, bien que lors des présidentielles de 1981 la part des cégétistes votant pour un des candidats de gauche n'ait été que de 83,5 %. Cette baisse de pourcentage peut s'expliquer soit par un comportement différent lors des élections présidentielles (le vote à gauche est plus marqué lors des législatives), soit par la rivalité PC/PS incitant une frange de l'électorat cégétiste à se détourner des candidats de gauche. Sous réserve de ce cas particulier, les votes ou préférences partisanes en faveur du centre et de la droite oscillent toujours autour de 10 %. Le courant écologiste peu implanté à la CGT, s'est greffé, semble-t-il, sur cette minorité et non sur la masse des adhérents de gauche.

Suivant les types d'élection et les périodes, la proportion de cégétistes votant communiste varie sans jamais être inférieure à 50 %. L'influence socialiste semble avoir progressé au sein de la CGT : en 1969, 24 % des ouvriers cégétistes votaient socialiste (le pourcentage devait être supérieur pour l'ensemble de la CGT) ; en 1977, 37 % des cégétistes déclaraient voter socialiste. Toutefois, en 1981, les intentions de vote en faveur de François Mitterrand ont fortement régressé (22 %), en raison sans doute de l'importante mobilisation de la CGT pour Georges Marchais. Peut-être faut-il envisager l'hypothèse générale d'un retrait de la CGT des cégétistes favorables au parti socialiste depuis la rupture de l'union de la gauche en 1978 ? La baisse des effectifs de la CGT a également des causes politiques : le durcissement doctrinal sur les thèses communistes ne peuvent guère qu'éloigner de la CGT les syndiqués proches du PS.

Le partage des influences politiques au sein de la CFDT

Malgré son discours proche des thèmes de l'extrême gauche au lendemain de 1968 et ses actions revendicatives dures et spectaculaires, la CFDT n'a jamais eu, au niveau de ses adhérents, l'implantation à gauche que l'on pouvait supposer. Et, si depuis 1973/1974, la CFDT a accentué son ancrage à gauche c'est par transfert des voix naguère favorables à la majorité au profit des socialistes.

La déconfessionalisation de la CFDT en 1964, son ralliement officiel au socialisme et à l'autogestion au lendemain de 1968 ne sont jamais accompagnés d'une diminution de l'importance des adhérents modérés des régions d'influence catholique et de tradition MRP ou gaulliste (Alsace-Lorraine, Ouest breton et Atlantique, sud-est du Massif central, régions alpines, Nord de la France). En 1969, moins d'un an après 1968, parmi les seuls ouvriers cédétistes, près de la moitié d'entre eux (47 %) déclaraient se sentir proche de l'une des formations de la majorité.

Aux élections présidentielles de 1969 la part des voix pour les candidats de gauche (Gaston Defferre, Jacques Duclos, Alain Krivine, Michel Rocard) n'était-elle pas d'ailleurs proportionnellement deux fois moins importante chez les ouvriers de la CFDT que chez ceux de la CGT et les voix en faveur des candidats de la droite près de trois fois plus nombreuses [1]?

En contrepartie, l'influence de l'extrême gauche a toujours été plus forte à la CFDT qu'à la CGT. Si le score d'Alain Krivine parmi les ouvriers cédétistes en 1969 n'est guère significatif (2 % des suffrages contre 1 % parmi les cégétistes), en revanche, en 1973, les 11 % des voix cédétistes en faveur des différents partis de l'extrême gauche représentent une percée non négligeable de cette dernière au sein de la seconde organisation syndicale française. De même, les candidats d'extrême gauche (Arlette Laguillier, Huguette Bouchardeau) ont recueilli en 1981 16 % des suffrages des adhérents de la CFDT. L'influence communiste chez les cédétistes a toujours été modeste: 13 % en milieu ouvrier en 1969 et 21 % en 1973 (14 % en 1981), bien inférieure à celle des socialistes et parfois même des réformateurs (cas de 1969, chez les ouvriers cédétistes) voire des gaullistes (cas de 1973).

Le phénomène le plus marquant demeure cependant la poussée importante des socialistes au sein de la CFDT. Même si les bases d'enquêtes sont fragiles et les chiffres contestables, le doublement de l'influence socialiste au sein de la CFDT entre 1973 et 1977 marque une mutation fondamentale dans l'orientation politique de la CFDT. A certains égards, le parti socialiste de la période 1973/1978 est à la CFDT ce que le MRP fut à la CFTC au lendemain de la Libération. Le recul de l'influence des centristes et des gaullistes parmi la CFDT au cours de cette période témoigne que pour beaucoup de ses adhérents la frontière entre partis centristes ou modérés et partis de gauche est moins imperméable qu'on ne le pense habituellement. Toutefois l'élection présidentielle de 1981, tout en traduisant le renforcement de l'ancrage à gauche de la CFDT (82 % de cédétistes ont voté pour un des candidats de gauche contre 62 %, par exemple, en 1973 aux législatives) a marqué un recul de l'influence socialiste, la moitié seulement des cédétistes déclarant avoir voté pour François Mitterrand.

Au-delà de la concurrence non négligeable des candidats d'extrême gauche, peut-être y a-t-il là une conséquence du recentrage de la CFDT

---

1. Cf. *l'Ouvrier français en 1970, op. cit,* p. 195. Sur 100 ouvriers adhérant à la CFDT, 32 auraient voté pour un candidat de gauche contre 60 % chez les ouvriers cégétistes.

et notamment du relâchement de ses rapports avec le parti socialiste après 1978. Le soutien critique et distant apporté à François Mitterrand, au moins jusqu'aux résultats du premier tour, explique le plus grand éparpillement du vote des cédétistes en faveur des différents candidats de gauche ou écologistes. Au total, le recentrage de la CFDT ne doit pas s'analyser comme un déportement vers la droite (au contraire, le vote à droite décline à la CFDT) mais comme une distanciation stratégique à l'égard des différentes composantes de la gauche.

FO plus à gauche que la CFDT?

On oublie trop souvent que la CGT-FO est issue des mêmes origines sociologiques que la CGT. Sa pratique revendicative est incontestablement plus réformiste que celle de la CFDT mais son enracinement politique la situe traditionnellement plus à gauche que sa concurrente : 63 % des ouvriers de Force ouvrière se déclaraient en 1969 à gauche contre 53 % à la CFDT ; et, parmi eux, beaucoup, plus qu'à la CFDT, se sentaient proches du parti communiste : 22 % contre 13 %. Ce pourcentage a toutefois décliné aux présidentielles de 1981 (12 % d'intentions de vote pour Georges Marchais) tandis que le total des voix en faveur de la gauche s'établissait à 54 %.

Aussi actuellement Force ouvrière est-elle davantage répartie entre la droite et la gauche qu'il y a une dizaine d'années. Incontestablement, une part non négligeable des adhérents de FO a voté pour un des candidats de la droite en 1981 (23 % pour Valéry Giscard d'Estaing et 19 % pour Jacques Chirac). Historiquement issue de la gauche, FO incarne maintenant un syndicalisme modéré dans sa pratique revendicative comme dans le comportement politique de ses dirigeants.

VI - Déséquilibre des électorats et rupture sociale

Sans qu'on puisse déterminer si son soutien au général De Gaulle signifiait approbation des orientations politiques économiques et sociales de la Ve République ou simplement désenchantement devant les divisions et l'inefficacité des partis de gauche, la classe ouvrière — comprise au sens large — avait rompu en 1958 avec son enracinement marqué à gauche. Assurément l'électorat des partis de gauche a toujours comporté plus d'ouvriers, d'employés, de cadres moyens que celui de la droite et, corrélativement, les intentions de vote à gauche dans ces mêmes catégories ont-elles toujours devancé celles en faveur de la droite.

Mais le phénomène n'avait plus la même amplitude et la même constance que par le passé. Fondamentalement, le gaullisme avait esquissé — sans jamais la réaliser véritablement — une voie inspirée des structures politico-sociales des pays scandinaves et anglo-saxons dans lesquels la vie politique s'organise autour de deux blocs politiques aux contours volontairement flous sans qu'aucun d'entre eux puisse être réduit à une seule classe sociale. La bipolarisation politique reposait sur le postulat implicite qu'aucune formation politique ne détenait le monopole de représentation de tel ou tel groupe social. A travers la dramatisation des échéances électorales construites à partir de cette bipolarisation, le gaullisme a toujours joué le jeu du rassemblement, connaissant la crédibilité de sa capacité à représenter tous les groupes sociaux.

Aucune date précise ne marque la rupture de cet équilibre politico-social : le désenchantement progressif de l'opinion à l'égard du général de Gaulle dès 1965, les événements de mai 1968, l'échec du referendum de 1969, le ton franchement plus conservateur de son successeur (compensé toutefois aux débuts du septennat par l'appel à Jacques Chaban-Delmas et à des conseillers soucieux de dialogue social) constituent sans doute autant de prémices du reflux. En fait, depuis ces premiers jalons deux processus complémentaires se sont mis en place jusqu'en 1981 :

• Sous une apparence de continuité dans certains thèmes politiques, la majorité qui soutenait le président Giscard d'Estaing a perdu la majeure partie de son enracinement populaire. Pratiquement dans tous les groupes socioprofessionnels représentatifs de la vie industrielle moderne (pas seulement les ouvriers mais aussi les employés et les cadres moyens ou supérieurs), la gauche a effectué une progression notable tandis que le centre et la droite voyaient leur influence décliner dans la classe ouvrière et même, sans doute, dans l'ensemble des salariés. Que la crise économique ait provoqué ou accéléré le processus est finalement secondaire. Mais s'il y a excès d'anachronisme à vouloir faire revivre à propos du débat politique le vieux slogan «classe contre classe», ce déséquilibre de la représentation des groupes sociaux dans les formations politiques contenait, en germe, le processus de renversement de la majorité en 1981.

• La gauche avait entamé après son traumatisme de 1968 un processus d'unification symbolisé par la signature du programme commun en 1972. Cette dynamique a incontestablement profité, pour l'essentiel, au parti socialiste. Non seulement ses scores se sont progressivement améliorés au fil des consultations électorales, mais surtout sa représentativité s'est considérablement renforcée au sein de la classe ouvrière, soit, pour être bref, chez les ouvriers, les employés et les cadres moyens.

Cette situation ne pouvait être durablement tenable pour les communistes. Sous couvert de controverses idéologiques sur l'actualisation du contenu du programme commun, la rupture de l'automne 1977 s'analyse fondamentalement comme une volonté de casser une dynamique qui marginalisait quantitativement et surtout qualitativement les communistes et accessoirement la CGT au sein de la classe ouvrière. Pour le PCF, rejeter à droite les socialistes, pour la CGT faire de même avec la CFDT, se présenter non seulement comme les seules forces d'opposition mais comme les seuls représentants authentiques de la classe ouvrière — ce qui accentue le ton ouvriériste des deux formations — ont constitué un objectif majeur de la coalition cégéto-communiste et de ses satellites.

Les résultats des élections présidentielles et législatives de 1981 n'ont pas confirmé la justesse de cette stratégie. Non seulement le parti communiste a globalement enregistré un recul sévère mais il a continué à voir son influence décroître chez les ouvriers puisque seulement un ouvrier sur quatre a déclaré avoir voté communiste aux législatives de 1981 contre 44 % pour les socialistes. Comme naguère, la gauche est à nouveau largement majoritaire chez les ouvriers et les employés mais avec une situation prééminente du parti socialiste. Ces derniers sont majoritaires en voix, comme en 1936, mais de surcroît, ils peuvent, encore plus que les communistes, se prétendre, au niveau de l'électorat, le parti de la classe ouvrière.

Se demandant, après son échec de 1978, «la gauche peut-elle gagner?», les auteurs de *France de gauche, vote à droite,* observaient que derrière l'union de la gauche s'était ébauchée «une alliance entre la classe ouvrière et les couches moyennes salariées. Ces dernières acceptant les mesures socio-économiques prévues par le programme commun, notamment un certain nombre de nationalisations, tandis que leur libéralisme culturel ne provoquait pas de réaction négative chez les ouvriers.»

Dans ce rapprochement, l'action menée de longue date par les syndicats pour rassembler tous les salariés a sûrement été déterminante. Syndicats et partis de gauche sont donc doublement liés: par leurs affinités doctrinales et par l'identité de leur clientèle. Ces convergences à la fois idéologiques et structurelles les condamnent à prospérer ou à dépérir ensemble si le bloc sur lequel les uns et les autres s'appuient se dissocie, autrement dit si les contraintes du pouvoir les obligent à ne pas satisfaire indistinctement les aspirations de *tous* ceux qui les ont soutenus au moment de l'élection.

6. Un new deal syndical est-il possible ?

I - L'impossible conquête de l'État

Les syndicats français demeurent obsédés par la conquête du pouvoir d'État sans prendre suffisamment conscience qu'ils possèdent déjà une capacité décisive d'influence sur la société. Les moyens d'action détenus par leurs homologues anglo-saxons et scandinaves à travers la pratique de la négociation et du conflit ou simplement leur rôle social sont considérablement minimisés au motif que seule est déterminante la conquête de l'État.

S'il y a crise du syndicalisme aujourd'hui c'est dans la mesure où deux stratégies contradictoires sont poursuivies simultanément : l'une, héritée du proudhonisme et de l'anarchisme, rêve d'une société sans État dans laquelle l'atelier remplace le gouvernement ; la seconde, inspirée du marxisme, attend d'une victoire politique qu'elle ouvre la voie du changement social. L'utopie de la première voie qui sauvegarde la pureté du rêve d'une société radicalement différente porte en elle-même ses propres limites de réalisation : comment attendre de la société qu'elle se transforme de l'intérieur, sous la seule pression des forces sociales ? Comment peut-il y avoir une société sans État, c'est-à-dire sans contraintes ni violence ?

La seconde voie est plus opérationnelle, mais l'expérience historique de la conquête du pouvoir par la gauche atteste qu'elle ne peut perdurer qu'au prix d'un affadissement de son projet de société. Contrairement aux pays sociaux — démocrates où les syndicats ont opté pour une division du travail avec les partis politiques, ce qui équivaut à reconnaître leur leadership dans le changement de la société, les organisations français se partagent — parfois même de l'intérieur — entre ces deux voies dont elles espèrent réaliser la synthèse. On aurait tort d'imaginer que la victoire de la gauche a modifié cette problématique permanente de l'histoire sociale française. Peut-être même a-t-elle rendu encore plus éclatante la césure entre les deux voies.

Naguère en effet, Edmond Maire analysant «le mouvement ouvrier face aux idéologies de crise [1]» dénonçait «toute une pratique politique qui a remisé le mouvement ouvrier au magasin des accessoires». Après avoir dénoncé le pessimisme fondamental du communisme sur la capacité collective des exploités à s'émanciper eux-mêmes, il évoquait, du côté socialiste, «une longue tradition politique (qui) privilégie la loi, les institutions, comme moyen de changement et ne pense la transformation sociale qu'au rythme électoral.» Après le succès électoral de la gauche la condamnation n'est plus aussi péremptoire. Il n'est plus question d'affirmer que «la stratégie des socialistes n'est pas aujourd'hui de nature à offrir au mouvement ouvrier une perspective qui puisse combler le vide laissé par la conception communiste [2].» Mais, sous une forme interrogative, le même doute demeure: «le nouveau pouvoir politique sera-t-il la seule force d'impulsion — et cette action d'en haut, dans l'État et sur l'État rencontrera vite ses limites — ou bien pourra-t-il articuler ses décisions avec l'action autonome de forces sociales mobilisées pour des transformations profondes de la société tout autant que de l'État [3].»

Pour un syndicaliste en effet comment croire à la possibilité d'une rupture avec la société capitaliste dans un contexte de «force tranquille» que n'accompagne aucune mobilisation populaire (hormis l'éphémère communion populaire au soir du 10 mai), aucune grève, bref aucune pression venue d'en bas? Quel paradoxe pour le mouvement syndical toujours prêt à dénoncer le mythe du suffrage universel que de constater que c'est l'instrument le plus traditionnel de la démocratie politique qui lui a rendu l'espoir?

Pour les syndicats le risque est clair. Dans un processus dominé par le succès électoral des gauches et en l'absence de toute mobilisation sociale le mouvement syndical risque de n'avoir pas d'autre rôle que celui de Dieu dans la métaphysique de Descartes: il donne la chiquenaude initiale puis disparaît ensuite. Les organisations les plus contestataires n'ont jamais proposé d'autres schémas depuis qu'au début du siècle le

1. *Le Monde,* 21 et 22 août 1980.
2. *Ibid.*
3. Edmond Maire «Et maintenant réussir le changement social», *le Monde,* 25 et 26 août 1981.

mouvement ouvrier a renoncé à toute conquête «extralégale» du pouvoir. Le meeting de Charléty en 1968 est sans doute la seule tentative, à peine esquissée et aussitôt avortée d'une autre voie dans laquelle un mouvement social spontané, populaire et non violent serait le véritable accoucheur d'une société «qui change la vie».

II - Une influence incontestable sur la société

L'extension des champs d'initiative sociale

Face au double verrou du poids jugé excessif des forces politiques et des contraintes économiques, est-ce l'impasse pour les syndicats? Non si on les considère comme des organisations possédant une logique de développement spécifique et autonome, largement indépendante de l'environnement politique et économique. Tantôt réduits à une composante d'un mouvement ouvrier dont les frontières ne sont nullement définies, tantôt assimilés à un groupe de pression parmi d'autres, tantôt considérés comme le simple reflet des rapports de production, tantôt idéalisés comme vecteur d'une doctrine, leur capacité d'action et d'influence est mesurée à l'aide de critères inadéquats et donc mal appréciée. Assurément, toute crise économique aboutit au renforcement de l'État, même si le discours officiel est autre. Et il y a, semble-t-il, quelque paradoxe à minimiser l'importance voire l'intérêt du pouvoir d'État pour les syndicats. Mais précisément l'extension des interventions de l'État ne fait que traduire la multiplication des lieux et des sources de pouvoir politique au sens que Bertrand de Jouvenel accorde à ce terme dans De la politique pure.

La conquête de l'appareil politico-administratif n'est plus la seule voie de la maîtrise de l'évolution d'une société. On confond abusivement l'échec d'une double pratique politique, celle des communistes avec la théorie du parti avant-garde des masses, et celle des socialistes privilégiant la loi et les institutions comme moyen de changement, avec l'appréciation et la capacité du mouvement ouvrier à être porteur des transformations profondes de la société.

Les espaces de liberté et d'initiative créés continuellement par le progrès technique et la transformation des modes de socialisation constituent autant d'enjeux possibles pour les groupes organisés, médiateurs permanents entre l'État et les citoyens. Les loisirs, la culture et l'enseignement, la consommation, bref les modes de vie et de communication sociale dépendent de systèmes d'influence dans lesquels l'État est loin d'avoir toujours un rôle déterminant. L'évolution même des technologies avancées d'information et de télé-communication conduit, semble-t-il, plutôt à la perte de quelques monopoles étatiques qu'à leur renforcement. Même s'il s'est accroché au monopole de la radio et de la télévision, avec un argumentaire que n'aurait pas renié son prédécesseur, le gouvernement socialiste n'a fait que livrer un combat d'arrière-garde en limitant sérieusement la création des radios libres. A-t-on jamais vu depuis Gutenberg un monopole ne pas finir par éclater ? Dans le domaine économique, pour ne prendre qu'un seul exemple, le privilège régalien de l'émission de monnaie pèse finalement peu au regard de tous les circuits d'achat, de paiement, de crédit, créateurs d'une monnaie invisible et gérée en dehors des circuits publics.

Assurément, ces nouveaux espaces de pouvoir ne couvrent pas toute la vie économique et sociale. Et les syndicats, qui ne sont pas simplement des sociétés de pensée, ne peuvent se contenter d'exercer un magistère d'influence diffus sur leur environnement. Ils ne peuvent non plus renoncer à leur lutte contre les raretés les plus élémentaires, le chômage et les bas salaires. Mais précisément, l'efficacité dans ces domaines-là ne leur commande-t-elle pas une stratégie moins frontale que le conflit direct avec le patronat et l'État ? Dans une société industrielle où les groupes sociaux ne se définissent pas seulement par leur place dans les rapports de production, les syndicats qui se sont développés avec une logique exclusive de producteurs ont aujourd'hui l'opportunité d'élargir leur influence sous réserve d'adapter leurs structures, leur langage et leurs modes d'action à cette réalité.

Le mythe de l'avant-garde et la diversification des domaines d'action syndicale

Alain Touraine a, comme Herbert Marcuse, tort de voir dans les mouvements sociaux les plus spontanés et les moins institutionnalisés, le meilleur rempart contre la société programmée. Ce n'est pas parce qu'au XIXe siècle le mouvement ouvrier naissant était une force marginale dans une société rurale et conservatrice qu'aujourd'hui toute minorité, surtout si elle est inorganisée et tiraillée entre de multiples contradictions, a vocation à être porteuse d'avenir. Les marginaux ne constituent pas toujours une avant-garde. Ils présentent en tout cas l'avantage d'interpeller rudement le mouvement ouvrier pour l'inciter à la fois à élargir ses préoccupations et à manifester plus d'intérêt à l'égard des sensibilités et des revendications qui éclosent «en bas», en marge des discours bien banalisés des organisations programmées. L'ambition d'être les représentants permanents et incontestés de tous les salariés entraîne la double obligation d'une stratégie multi-dimensionnelle qui tienne compte que le travailleur est aussi un usager, un consommateur et un citoyen libre de ses appartenances partisanes et d'une organisation moins spécifiquement ouvrière que par le passé.

Conformément à la propension de toute organisation à se développer en dehors de son champ originel d'action, les syndicats cherchent à promouvoir, en effet, des thèmes revendicatifs diversifiés, plus larges que ceux qui sont directement liés à la vie du travail. Or, il n'est pas toujours commode de défendre l'emploi dans une papeterie et, simultanément, de séduire les écologistes rêvant de dépolluer les cours d'eaux ou d'expliquer qu'il est possible, sans coût élevé pour les contribuables, de réduire le temps de travail des fonctionnaires et d'offrir aux usagers une prolongation des heures d'ouverture des services publics sans augmentation de leur coût. Les tentatives des organisations syndicales de participer à des comités d'usagers ou d'animer des associations de consommateurs n'ont jamais réellement débouché tant il est vain d'espérer le dynamisme d'associations maintenues sous tutelle et sans possibilités d'influence sur le syndicat. Ce n'est d'ailleurs pas dans la presse syndicale que celles-ci peuvent espérer faire entendre leur voix. Les syndicalistes de l'Éducation nationale, de la SNCF ou d'une société de produits alimentaires ne sont guère disposés à faire part égale avec les représentants des usagers et des consommateurs. De même, les tentatives pour regrouper ceux qui sont en dehors de la vie active n'ont guère débouché. A la CFDT la création, après 1968, d'une carte de sympathisant pour les lycéens et les étudiants a vite tourné court. Partout la représentation des retraités n'est guère qu'un artifice pour se prévaloir d'un nombre plus élevé d'adhérents tant leur place est marginale dans les priorités réelles des syndicats. Et, l'incapacité à rassembler les chômeurs ne s'explique pas seulement par des raisons techniques ou par la psychologie de ceux qui viennent de perdre leur emploi.

En fait deux orientations s'ouvrent aux confédérations pour diversifier leur influence et multiplier leur capacité d'intervention.

Le développement des services individuels

Cette voie s'est particulièrement développée en Allemagne [1]. Les enseignants jouent cette carte depuis longtemps à travers la Mutuelle

---

1. Les syndicats allemands sont non seulement des partisans, mais les bénéficiaires de l'économie sociale de marché. Ils sont l'épine dorsale d'un secteur économique qui leur appartient en propre et qui emploie plus de 100 000 personnes.
Parmi les vastes intérêts financiers du DGB et de ses syndicats, on compte la 4e banque d'affaires d'Allemagne, la plus grande compagnie d'assurances sur la vie, la plus grande société de construction de l'Allemagne de l'Ouest qui est la plus importante société d'accession à la propriété en Europe, une des trois plus grandes banques d'épargne-logement, une des trois plus importantes agences allemandes de tourisme, un groupe de coopératives qui est le second groupe de commerce de détail en Allemagne de l'Ouest, une maison d'édition et d'autres consortiums.

générale de l'Éducation nationale et la Mutuelle assurance des institu-
teurs de France. Mais, contrairement à certaines pratiques étrangères
tendant à réserver les avantages supplémentaires aux seuls syndiqués, les
prestations offertes aux personnels de l'Éducation nationale sont ouver-
tes à tous, sans condition d'appartenance syndicale.

Les syndicats français n'ont jamais voulu entrer dans cette voie: la
responsabilité gestionnaire heurte leur sensibilité contestataire; de surcroît leur vision de la vie économique, plus proche de Péguy dénonçant
« l'argent » que de Marx, leur fait redouter tout risque de compromis-
sion avec les affaires. Ni le secteur des loisirs, ni celui des œuvres sociales pourtant aisément financé par les comités d'entreprise n'ont donné
naissance à des « entreprises » à la fois prospères et significatives d'un
autre mode de rapports sociaux [1]. Les subventions aux comités d'entreprises servent pour l'essentiel à distribuer les avantages sociaux à bas
prix et non à envisager des entreprises alternatives. Les pouvoirs publics
ont eux-mêmes pendant longtemps privilégié le conservatisme syndical
aux dépens de toutes les autres formes de vie associative, mutualiste ou
coopérative. La réforme de la Sécurité sociale de 1967 tout en réduisant
la proportion des syndicalistes dans le conseil d'administration des Cais-
ses n'a pas rompu pour autant avec le schéma dualiste de représentation
patrons/salariés alors que bien d'autres intérêts auraient pu utilement
être pris en compte et qu'à l'évidence la vie sociale ne saurait s'organiser
autour de la seule représentation des forces qui s'opposent dans les rapports de production.

Le resserrement des liens avec l'ensemble des mouvements mutualistes et coopératifs y compris dans le secteur bancaire constitue sans doute
un axe majeur possible du développement syndical sous réserve que le
rapprochement soit conduit sans exclusive ni hégémonie et en définis-
sant les domaines de « l'économie sociale » où des actions communes
sont à entreprendre. L'affaire du ticket modérateur d'ordre public au
premier semestre 1980 a montré l'efficacité d'un nouveau système
d'alliance entre les organisations du mouvement social pour faire abro-
ger une décision contestée par les usagers. Le concours financier de la
MACIF à Manufrance illustre une autre perspective, équivoque si elle
ne fait que retarder une échéance inéluctable mais stratégiquement
exemplaire, dans la mesure où elle incite le mouvement syndical à
s'assurer les moyens financiers de ses ambitions industrielles et sociales.

---

1. La gestion fort rémunératrice du ticket restaurant maintenant largement généralisé n'a jamais inté-
ressé les syndicats qui l'ont abandonné au secteur bancaire. Cet exemple illustre la préférence des syndicats pour la demande de subventions plutôt que pour la création d'activités parallèles. De façon plus
générale les confédérations syndicales n'ont guère participé jusqu'à présent au développement du réseau
bancaire-coopératif ou mutualiste.

La démocratisation de l'information syndicale

Cette deuxième voie est plus diffuse car moins institutionnelle. La représentativité d'un syndicat ne tient pas seulement au nombre et au dynamisme de ses adhérents ou à la multiplicité d'organismes satellites mais aussi à son audience et à sa crédibilité dans l'opinion. Les réactions prêtées aux usagers par les médias à l'occasion des débrayages dans les services publics sont par exemple un facteur déterminant du succès ou de l'échec des mouvements engagés. Dans les conflits relatifs à l'emploi, l'importance du droit au travail dans l'échelle des valeurs sociales permet aux syndicalistes de mener des actions illégales avec la sympathie de l'opinion qui, en d'autres circonstances, condamnerait vigoureusement les mêmes méthodes. La vente sauvage de montres chez Lip — «on produit, on vend, on se paie» — constitue l'exemple le plus célèbre d'une tactique manifestement délictueuse mais légitime en raison de son objet. En revanche, tout arrêt de travail des électriciens, même conduit suivant les dispositions réglementaires est ressenti comme inadmissible. L'opinion, avec ce qu'elle implique de subjectif et de versatile, assure la régulation des conflits plus que le droit.

Or les réflexions des syndicats sur leur politique d'information ou d'image de marque sont restées jusqu'à présent embryonnaires. Les dirigeants nationaux y sont sensibilisés par l'impact de leurs interventions télévisées mais les militants de base agacés par les risques du vedettariat demeure souvent persuadés que les médias sont systématiquement favorables au gouvernement et aux employeurs. C'est d'ailleurs là la thèse de la CGT pour laquelle la presse syndicale n'est pas autre chose qu'un instrument de mobilisation: «Tous les moyens d'expression ont pour mission d'aider les salariés à ne pas subir les mises en condition... Ils ont pour but de contribuer à la mise en mouvement de ces millions de salarié(e)s, d'élever le niveau de leur conscience de classe [1].» Bref dans la bataille des idées, il s'agit d'opposer une propagande à une autre, jamais de permettre au lecteur d'élaborer lui-même son jugement.

Le premier handicap de l'information syndicale tient au langage lui-même. Dans son expression militante et quotidienne (les tracts, les affiches, les cahiers de revendications) son style est pétri des dictées de l'école primaire de la IIIe République dans lesquelles tout substantif est nécessairement précédé d'un qualificatif normatif qui lui confère une signification morale manichéenne. Ainsi, analysant les discours CGT,

1. «A propos de la VO», *le Peuple*, 15 août 1979, n° 1066.

Dominique Labbé observe que « les qualités que l'on prête aux travailleurs français seront également celles du syndicat : franchise, bon sens, fermeté, expérience. La CGT est une organisation responsable, forte, conquérante, active. Souvent les qualificatifs vont par couple : calme et mesurée, solide et puissante, conséquente mais unitaire... Elle agit avec détermination mais sans surenchère et sans outrance. Dans les discussions on respecte la diversité des convictions et des croyances qui font la richesse de l'organisation et manifeste son souci constant d'ouverture [1]. »

Cette écriture des mots symboles ne peut évidemment s'embarrasser des nuances car les signaux qu'émet la CGT doivent contenir sans ambiguïté les conséquences concrètes que les membres auront à en tirer. Et sans doute un des motifs de l'influence gauchiste dans les syndicats après 1968 est-il d'avoir redonné vie à un langage coloré et provoquant, imprégné de réalisme, parfois vulgaire à l'excès, mais « collant » au vécu des situations quotidiennes de travail. Reste que les jugements à l'emporte-pièce, les attaques personnelles, même si elles sont moins le signe d'une agressivité particulière qu'une forme traditionnelle d'expression d'un groupe social, ne facilitent pas la communication avec d'autres milieux plus familiers de la litote que de l'hyperbole.

Au-delà de la forme, la presse syndicale n'a jamais été à la hauteur de ses ambitions. Il n'y a jamais eu en France de grands magazines diffusant largement en milieu populaire. *La vie ouvrière* n'est lue que par un adhérent de la CGT sur 10, *Syndicalisme magazine* par un cédétiste sur 8 [2].

Constamment les états-majors évoquent l'absence de moyens financiers ou les insuffisances de la diffusion militante, jamais son contenu. En fait, quelles chances a de convaincre une presse entièrement apologétique, qui se refuse à accueillir, sous quelque forme que ce soit une opinion différente de celle de la ligne confédérale? Même rédigés par des journalistes professionnels, les articles rédactionnels n'ont pas pour objectif de présenter les faits dans leur intégralité mais de justifier une position. La tribune libre, l'interview de personnalités étrangères à

---

1. Voir l'excellente contribution de Dominique Labbé dans «A propos de la CGT», *Que faire aujourd'hui,* n° 19.
2. En moyenne le tirage de *la Vie ouvrière* s'établit à 180 000, celui de *Syndicalisme magazine* à 120 000. Pour la CGT-FO l'abonnement à l'hebdomadaire et au magazine est inclus dans la cotisation. Le tirage est donc par définition égal au nombre des adhérents. *Le Peuple,* bi-mensuel officiel de la CGT, et qui s'adresse aux militants ne diffusait que 30 750 exemplaires en novembre 1981, contre 34 167 un an plus tôt.

l'organisation, l'appel à des « signatures » connues sont autant de pratiques inconnues des responsables de presse syndicaux.

La CGT n'a d'ailleurs pas hésité à licencier les responsables de son magazine féminin *Antoinette* en avril 1982 en raison de la publication d'articles « réformistes », abandonnant la lutte « des classes » et « favorisant la lutte des sexes ». Tandis que les journalistes entamaient une grève de solidarité avec les deux responsables, la direction confédérale rappelait que cet organe de presse appartenait à la CGT et qu'il était normal de n'y trouver que le point de vue officiel de la confédération.

Curieusement les raisons du succès des radios libres mises en place à quelques occasions par la CFDT et surtout la CGT n'ont pas été analysées. N'est-ce pas pourtant en raison de leur spontanéisme et de leur absence de dogmatisme qui permettait, à la limite, à chaque salarié de venir s'y exprimer ? Une information pluraliste se refusant à l'ambrigadement, s'adressant à des citoyens libres et responsables est sans doute une condition impérative de l'avancée des idées syndicales dans la société française. Mais n'est-ce pas aussi ce choix qui a été refusé par la CGT pour *Radio Lorraine cœur d'acier* dont le succès avait été considérable en 1979 au moment des grèves et manifestations de la sidérurgie. Lancée par des militants cégétistes aiguillonnés par l'initiative CFDT de *Radio SOS emploi* elle devient rapidement une radio de libre parole bénéficiant d'une large audience. Mais très vite la confédération retire son soutien car suivant les termes de Jean-Claude Laroze, responsable national à la propagande: « Nos radios n'existent pas en elles-mêmes; elles existent pour permettre à la CGT de se faire écouter par les travailleurs, pour faire surtout avancer les idées de classe de la CGT. »

III - L'émergence de nouveaux modèles de relations sociales

La diversification d'un modèle unique

La prégnance de la tradition ouvrière n'est pas seulement une affaire d'hommes. Assurément, le choix comme secrétaire général d'un ancien cheminot n'a pas la même signification que celle d'un technicien de la chimie et le permanent qui n'est pas issu du milieu ouvrier est toujours un peu suspect aux yeux des militants. Mais ces manifestations apparentes de sensibilité dissimulent l'essentiel: le modèle d'action syndicale est dominé par la référence à l'entreprise industrielle type: celle des concentrations ouvrières massives de la métallurgie.

L'Union des industries métallurgiques et minières (UIMM), qui est la seule organisation à vocation «sociale» (c'est-à-dire de discussion avec les syndicats), n'a pas peu fait pour étendre ses pratiques à toutes les branches d'activité. Parce qu'elle est, sur le plan local, souvent la seule à disposer de services étoffés, mis officieusement à la disposition des instances interprofessionnelles, son influence dépasse largement le secteur des métaux. Le règlement intérieur de beaucoup d'entreprises est, par exemple, celui mis au point par les chambres syndicales de la métallurgie, les seules à avoir rédigé, naguère, un modèle type. La plupart des services du personnel appliquent le droit du travail tel qu'il est suggéré par les manuels de législation sociale publiés par l'UIMM. La loi de 1950 sur les conventions collectives avait implicitement pour référence un modèle socio-industriel *unique*, inspiré inconsciemment de la métallurgie, et caractérisé par :

— un fort encadrement des entreprises par leur profession ;

— des activités peu diversifiées : appartenance à une seule branche et application d'une seule convention ;

— des établissements disposant d'une réelle présence syndicale à travers le comité d'entreprise et les délégués du personnel ;

— une main-d'œuvre stable à statut unique (contrat de travail à durée indéterminée), susceptible de faire toute sa carrière dans l'entreprise.

Or, en trente ans, les entreprises ne se sont pas toutes fondues dans ce modèle. Les grandes entreprises qui, pendant longtemps, ont joué un rôle moteur dans le progrès social, ont imprimé leurs spécificités à toutes les règles et institutions des relations sociales, sans qu'on prenne garde en fait que l'évolution des entreprises ne conduisait pas à l'uniformisation des pratiques sociales décidées par la législation.

Par ricochet le poids de la métallurgie dans le patronat a contribué à renforcer la prédominance ouvrière dans le mouvement syndical, faute de l'émergence d'un autre système de représentation et de négociation.

Aussi pendant longtemps les petites entreprises et les secteurs différents (l'agriculture en est un exemple type) n'ont pas eu d'autre stratégie que de se retrancher d'un système dont elles ne se sentaient pas partie prenante. La bataille pour l'élévation des seuils d'application de la législation sociale est sans doute la manifestation la plus évidente de cette politique de refus d'intégration.

Les potentialités des petites entreprises

Aujourd'hui les impératifs de la compétitivité économique et la crainte d'un contre-pouvoir syndical excessif incitent les grandes entreprises à l'immobilisme, à la gestion des acquis. Aussi, paradoxalement, le déblocage des relations sociales passe-t-il par l'émergence d'une nouvelle dynamique adaptée à ces secteurs délaissés et suffisamment attractive pour irriguer l'ensemble du tissu social.

La capacité des petites entreprises ou des branches d'activité du « nouveau tertiaire » à créer des emplois constitue un facteur non négligeable de déblocage même si ces créations sont inférieures aux affirmations officielles. Les pouvoirs publics savent qu'il ne suffit pas d'alléger le franchissement des seuils (les principaux butoirs se situent au niveau de l'embauche du premier et du dixième salarié) ou de multiplier les aides financières (exonération de cotisations sociales) mais qu'il convient de rendre les emplois attractifs pour les salariés. Le refus de mauvaises conditions de travail ou d'horaires contraignants est un obstacle majeur à l'embauche dans beaucoup de branches du commerce de détail, par exemple.

Surtout on a pris conscience à travers certaines expériences d'aménagement du temps de travail, de création de coopératives, d'organisation du travail individuel en systèmes de sous-traitance que des formes de relations de travail différentes de celles de la grande entreprise industrielle pouvaient être imaginées dans les secteurs nouveaux sans être pour autant source d'un accroissement des inégalités. Dans l'artisanat, des institutions existent, telles le collège « Compagnons » des Chambres de métier où les salariés sont représentés, pour servir de support institutionnel à la représentation des salariés et éventuellement à la négociation. Elles n'ont jusqu'à présent pratiquement pas été utilisées [1].

Dans le domaine des conventions collectives on n'a guère assisté au développement de nouveaux types d'accords collectifs sortant des chemins habituels. Rien n'interdit cependant d'envisager des conventions entre grandes et petites entreprises pour ouvrir les équipements culturels et sociaux à tous les salariés d'une localité, de « professionnaliser » un certain nombre d'avantages sociaux habituellement traités au niveau de l'entreprise, de signer des accords multi-professionnels sur une base locale dans le domaine de la sécurité et de la prévention des accidents,

---

1. Ainsi sur les 800 000 salariés relevant de l'artisanat 181 000 seulement sont inscrits au titre des « Compagnons » dans les Chambres de métier. Et 43 000 ont participé aux dernières élections...

comme les nouvelles lois Auroux y incitent d'ailleurs, ou d'imaginer des délégués syndicaux inter-entreprises comme cela a été expérimenté dans l'agriculture. L'imagination et la détermination dont feront preuve — ou non — les petites et moyennes entreprises et les branches ne relevant pas des anciens secteurs industriels, constitue pour les années à venir un enjeu social plus important qu'il n'y paraît aujourd'hui. L'importance que les syndicats ont attaché à établir leur influence dans les petites et moyennes entreprises à l'occasion des élections prud'homales de décembre 1979 et 1982 est le signe de l'infléchissement de leurs stratégies pour s'adapter à une société plus complexe que celle de l'après-guerre quand ont été élaborées les grandes règles du système actuel de relations sociales.

Les contradictions du pouvoir syndical

Assurément la diversification et surtout la décentralisation généralisée des négociations constituerait une réelle innovation en France. Elles montreraient la sincérité du discours syndical sur l'action autonome des forces sociales qui demeure actuellement fort suspect. Même s'il est loin d'être le simple gestionnaire d'un service public, le syndicalisme est devenu une organisation plus qu'un mouvement. L'opposition à l'État relève plus d'une compétition entre bureaucraties que d'un affrontement entre deux systèmes de développement économique et social, non qu'il y ait collusion ou convergence idéologique mais simplement parce qu'existe, des deux côtés, une même volonté d'encadrement des masses. Les conflits du travail, par exemple, ne se réduisent pas à une opposition entre les salariés et leurs employeurs. Ils ont pour enjeu les travailleurs eux-mêmes. Entre les syndicats et le patronat l'objectif est identique : savoir qui commande aux travailleurs.

Pour être crédible et avoir quelques chances de succès une stratégie d'autonomie des forces sociales telle que l'imagine la CFDT suppose non seulement la décentralisation des relations du travail mais l'élaboration d'un nouveau modèle de démocratie ouvrière, c'est-à-dire de rapports entre les salariés et leurs représentants. En effet, toute réflexion sur l'action sociale doit prendre en compte l'existence d'une crise syndicale qui ne résulte pas seulement du chômage, de la « répression » patronale ou du blocage des négociations collectives. Autant la gauche politique a été marginalisée dans la vie publique par vingt trois ans d'opposition autant les syndicats ont pu développer leur audience à travers les circonstances politiques (guerre d'Algérie), les projets gouvernementaux (la nouvelle société), les modifications de la législation (délégués syndicaux, extension des attributions des comités d'entreprise) et, bien sûr, grâce à une action quotidienne persévérante.

En sens inverse, la dégradation des effectifs depuis 1969 à la CGT et depuis 1977 à la CFDT, les tensions entre les états-majors et la base, ou simplement l'accroissement des mouvements revendicatifs lancés par la base, témoignent à la fois de difficultés indépendantes de la situation économique ou politique et de facteurs d'évolution distincts de ceux qui affectent les forces politiques.

Autrement dit, rien n'autorise à réunir dans une même analyse forces sociales et organisations politiques. Il est peu probable que, d'elles-mêmes, les organisations syndicales modifient sensiblement leur mode de fonctionnement et d'organisation. L'arrivée de la gauche au pouvoir a certes modifié la problématique syndicale et peut-être va-t-elle, à travers les réformes sociales, favoriser une transformation qui n'était guère envisageable tant que le syndicalisme était condamné à des combats défensifs au sein d'une opposition qui paraissait incapable de reconquérir le pouvoir. Dès lors, la question majeure n'est pas celle de l'ampleur et du contenu des réformes, elle est de se demander dans quelle mesure la dynamique des réformes permettra de réinventer de nouvelles formes de démocratie sociale qui ne soient pas confisquées par les appareils du sommet? La décentralisation des décisions n'est pas une question qui concerne seulement les collectivités locales.

IV - Les quatre moteurs possibles de la transformation syndicale

Un autre contenu des négociations

De l'immédiate après-guerre jusqu'à la crise de 1974, toute la politique sociale française, législative et contractuelle, a été centrée sur l'augmentation permanente des rémunérations et l'extension de la protection sociale [1]. Avec ou sans grèves, avec ou sans unité d'action, avec ou sans bonne gestion des entreprises et quelle qu'ait été l'orientation politique des gouvernements, tout s'est passé pendant un quart de siècle comme si une priorité absolue était accordée à cette voie «quantitative». La France a été un des pays occidentaux où la progression du pouvoir d'achat — immédiate ou différée sous forme de prestations sociales — a été la plus forte.

---

1. Nous résumons ici les développements de notre article dans *Projet,* novembre 1981.

Sans doute, après 1968, a-t-on beaucoup souligné la nécessité de privilégier les aspirations qualitatives par rapport aux revendications quantitatives. Mais jamais les infléchissements de la politique contractuelle vers la formation professionnelle (accords de 1970 et loi de 1971), les conditions de travail (loi de 1973 et accord de 1975), la mensualisation (lancée en 1969 et achevée dix ans plus tard) ou les classifications (accord de 1975 dans les métaux) n'ont créé une dynamique suffisante pour assurer un réel redéploiement social conduit vers de nouveaux objectifs suivant des règles du jeu rénovées. Les partenaires économiques et sociaux, malgré les incitations parfois pressantes des pouvoirs publics, ont peu à peu laissé en jachère les nouveaux espaces de négociation qui leur étaient suggérés.

Quant au partage du pouvoir dans l'entreprise, syndicats et patronat ont toujours manifesté un grande constance pour rejeter, au nom d'idéologies contraires mais convergentes en l'espèce, les timides esquisses de la participation gaulliste ou de la co-surveillance ébauchée par le rapport Sudreau. L'extension du chômage n'a pas, jusqu'à présent, modifié cette problématique. Malgré la proclamation syndicale «nous ne voulons pas être les chômeurs les mieux payés du monde», lors de la création de l'allocation supplémentaire d'attente garantissant 90 % du salaire aux chômeurs, l'essentiel de la législation et des négociations a été consacré à l'indemnisation du chômage et non au partage du travail ou à la création de nouvelles formes d'emploi.

L'augmentation du SMIC et des allocations familiales décidée au lendemain des élections ne constitue nullement le point de départ de politiques fondamentalement différentes de celles du gouvernement précédent. Ce geste sans lendemains — aucune victoire politique ne peut faire l'économie de signes visibles et immédiats de rupture avec la période antérieure — souligne au contraire l'étroitesse de la marge de manœuvre, sauf à imaginer une fiscalisation généralisée du système de protection sociale puisqu'on ne peut guère augmenter les charges pesant sur les employeurs et les salariés. L'évocation d'un «barrisme de gauche» après la décision de blocage des salaires et des prix au printemps 1982 montre combien la négociation salariale est marquée du signe de la continuité. Et, en moins d'un an, la gauche est passé de la doctrine de la relance par la consommation à celle de l'austérité salariale.

En fait, la seule novation réelle consisterait à négocier l'embauche de nouveaux salariés en échange du freinage, voire du blocage des rémunérations. En clair il s'agirait de dévaluer le prix payé par le travail et de rompre avec le choix implicite fait par la société française: préserver le pouvoir d'achat de ceux qui bénéficient d'un emploi au prix d'un fort taux de chômage. D'un point de vue économique les syndicats ont tous souligné que la diminution de la durée du travail était créatrice d'emplois. Encore faut-il ajouter que cette possibilité n'existe que si la diminution des horaires n'est pas compensée à 100 % par les entreprises. Les négociations engagées dans les branches ont été significatives du peu de capacité des partenaires à vouloir le partage du travail. La négociation des salaires, la diminution du temps de travail et l'indemnisation du chômage posent un identique problème qui comporte deux aspects complémentaires :

● *La redistribution des bases de la solidarité nationale*

Les actifs sont-ils prêts à accepter une diminution de leur pouvoir d'achat pour créer des emplois ? Les difficultés pour faire participer les fonctionnaires et d'autres catégories socioprofessionnelles au financement de l'indemnisation du chômage montrent les difficultés de briser les égoïsmes corporatifs. De façon générale, aux modalités près, peut-on comme pour les agriculteurs et «l'impôt sécheresse», associer toute la collectivité nationale aux différentes manifestations possibles de la solidarité nationale ?

● *La remise en cause des avantages acquis*

Existe-t-il un droit intangible à la progression de tous les avantages sociaux ? Peut-on, au contraire, négocier des «droits nouveaux» en contrepartie de la renonciation à certains acquis ? Assurément jamais le débat ne s'engagera officiellement en des termes aussi simples. Pour être acceptable par les syndicats, la remise en cause ne peut être qu'indirecte, voilée, progressive. Reste que le problème n'est pas de faire cheminer moins vite le progrès social en échange d'une extension de son domaine, mais d'échanger certaines contraintes pesant sur les entreprises publiques ou privées contre de nouvelles avancées. La nécessaire amélioration des conditions de vie des plus défavorisés ne doit pas être prétexte à éluder le problème du risque individuel ou collectif : peut-il y avoir une société de liberté si certains risques économiques et sociaux ne sont pas laissés à l'initiative et à la responsabilité de chacun ? Peut-il y avoir une économie compétitive si les statuts individuels ou collectifs sont intouchables ? L'erreur du patronat et du gouvernement dans le passé a sans doute été d'introduire le débat sur ces deux questions à travers une précarisation excessive d'une partie des salariés (en bref, le double marché du travail) et une évidente volonté de marginalisation des syndicats.

La gauche au pouvoir ne rend pas le débat caduc pour autant. En effet, la crise économique a remis en cause la croyance en la capacité des sociétés industrielles à secréter le progrès social de façon continue et démontré de façon spectaculaire la diffusion inégalitaire de ce progrès, ne serait-ce que parce que l'action syndicale se développe là où le rapport des forces lui est le plus favorable. N'y a-t-il pas là une raison supplémentaire pour interpréter la renégociation des acquis non comme un recul mais comme une opportunité pour rééquilibrer la dynamique sociale dans le sens d'une plus grande équité?

La nécessaire articulation grève-négociation

De tous les pays occidentaux, la France est celui où la grève est la moins définie et son exercice le moins réglementé. De plus, tous les partenaires y compris l'État, accordent la priorité au droit à la protestation par rapport à la négociation. Il n'existe aucune articulation juridique entre la grève et la négociation. La réglementation du droit de grève est synonyme de limitation alors que les législations étrangères se préoccupent d'abord de situer la grève à sa place la plus utile : un dernier recours quand la négociation échoue. Au contraire, la pratique française tend à privilégier la grève comme moyen d'expression du mécontentement des travailleurs. Même si elle s'exerce collectivement, celle-ci est d'ailleurs avant tout une manifestation de liberté individuelle.

Cette conception un peu paradoxale est directement liée au refus de reconnaître le syndicat comme le représentant exclusif des salariés. Dans tous les pays occidentaux sans exception le syndicat est l'interlocuteur unique des employeurs. En France, la tradition contestataire du syndicat est mise en avant pour récuser une telle orientation qui se traduirait par un monopole syndical dans le déclenchement des conflits. Autrement dit, la préférence implicite va à un système dans lequel le syndicat n'est en rien responsable des conflits afin de ne pas prendre le risque de renforcer son pouvoir de représentation et d'encadrement des salariés.

Cette orientation est cohérente avec le caractère non contractuel des relations sociales. De ce point de vue, l'important est moins le poids de la réglementation par rapport à la négociation que l'absence de contenu réel des conventions collectives et de responsabilité des partenaires dans l'application des accords. Fondamentalement, un contrat est un système de contraintes réciproques. Or en France, les conventions sont des constats et des normes de protection minimum mais non des contrats. Le statut réel des salariés n'est pas réglé par les accords mais par les décisions unilatérales de l'employeur, en matière de salaires notamment, ou, au mieux, par le contrat de travail individuel. Les syndicats, de leur côté, ne se considèrent pas comme engagés par leur signature. Suivant le mot d'Edmond Maire, les signatures sont toujours «de combat». Le pluralisme syndical empêche d'ailleurs de donner une portée réelle à l'engagement puisque la signature d'un seul partenaire suffit à «engager» tous les salariés. Mais qui souhaite un système à l'américaine dans lequel le syndicat dispose d'un monopole complet de représentation dans l'unité de négociation où il intervient et, en contrepartie, se trouve réellement coresponsable de l'accord signé?

Depuis plusieurs années, cet instable système de régulation des conflits s'est trouvé perturbé de deux façons:

• *L'exercice de la grève ne se limite plus à l'arrêt de travail.* Dans les usines à feu continu, dans les services publics, la grève prend des formes insolites: non seulement des manifestations l'accompagnent (occupations, défilés...), mais parfois elles se substituent à la cessation de travail, soit que celle-ci soit techniquement impossible, soit qu'elle soit interdite, soit qu'on craigne les réactions de l'opinion. L'usager ne préfère-t-il pas la suppression du contrôle des billets à la SNCF ou à la RATP, à l'arrêt de la circulation des trains? Parce que la grève est devenue un phénomène d'opinion, l'important est ce qui peut être vu à travers les médias et non le refus de travailler.

• Tandis que le gouvernement s'efforçait de limiter la portée de la grève par *l'instauration du «service minimum»* dans plusieurs services publics (télévision, éducation) ou par des dispositions plus générales dans le cadre de la loi «Sécurité et libertés», une partie du patronat engageait des actions judiciaires en responsabilité contre les syndicats réputés responsables d'incidents (voies de fait, destruction de matériel, atteintes au droit de propriété) à l'occasion des conflits [1].

Dans la mesure où toute intervention sur le droit de grève sera ressentie comme une inadmissible provocation, il est clair que le maintien du statu quo juridique est une hypothèse certaine. Cette non-intervention revêt une signification précise: elle marque une volonté de s'en remettre à la capacité syndicale de régulation des relations de travail pour contenir les débordements éventuels des grèves. Les syndicats se sont toujours efforcés de ne pas abuser de la grève à la fois pour ne pas mécontenter une opinion dont ils ont besoin et par respect de l'outil de travail: on ne compromet pas ce qui symbolise le moyen de libération des travailleurs.

---

1. En réaction contre ces pratiques patronales, les lois Auroux avaient envisagé une sorte d'immunité syndicale à l'occasion des grèves. Ces dispositions n'ont finalement pas été retenues.

Au-delà de cette attitude permanente de principe, tout risque de se passer comme si, en échange d'un renforcement des prérogatives syndicales, le gouvernement espérait une meilleure autorégulation de la grève par les syndicats. Des raisons politiques conjoncturelles ont conduit ces derniers à accepter de jouer ce rôle sous réserve que personne ne le mentionne. Cette acceptation tacite et révocable ne peut être prorogée durablement que si tous les syndicats et notamment la CGT ont la conviction que la voie des réformes tranquilles est plus payante que celle de la pression populaire.

Tout en mettant en place de nouvelles règles de la négociation, le gouvernement s'est gardé de toute initiative sur le statut des accords eux-mêmes. Entre la réhabilitation du contrat, au sens fort du terme, et la simple multiplication des discussions avec une large information mais sans engagements réciproques, tous les intermédiaires sont concevables. La CFDT a bien souligné que, pour elle, le droit de négocier ne devait s'accompagner d'aucune obligation ni d'aboutir, ni de souscrire des engagements, notamment de paix sociale. L'objectif n'est en rien comparable à celui des pays anglo-saxons où le contrat assure l'essentiel de la régulation sociale. Assurément, malgré une identité de vocabulaire, les syndicats n'ont pas la même conception de la négociation suivant que leur référence est celle des discussions avec l'État (à ce niveau, les contrats ne sont guère concevables; seul un marchandage politique de courte durée est envisageable) ou des conventions de branches et d'entreprises qui peuvent plus facilement revêtir une force obligatoire et contractuelle. A tous les niveaux, l'ambition syndicale est de pérenniser et de formaliser un genre intermédiaire entre la consultation et le contrat où l'employeur aurait le devoir d'aller au-delà d'une demande d'avis sans que le syndicat ait juridiquement à choisir entre la responsabilité de la signature et celle du refus. La façon dont les syndicats utiliseront ou non le droit de veto prévu par les lois Auroux sera significative de leur attitude réelle à l'égard de la négociation collective.

A l'évidence, les décisions ou les abstentions gouvernementales concernant l'articulation entre la grève et la négociation et la place réelle des conventions collectives dans le changement social seront déterminantes pour l'avenir du système français de relations professionnelles.

Une innovation fondamentale mais ambiguë: décentraliser les négociations

L'ensemble des lois votées en 1982 sur *les droits nouveaux,* confirment une orientation contraire à l'esprit original de la législation mais conforme à son évolution ultérieure.

Contrairement aux autres pays industriels la France n'a jamais concentré la négociation collective à un seul niveau. La loi du 11 février 1950 avait prévu de faire de la branche d'activité le niveau essentiel, presque exclusif, des discussions sociales. Très vite celles-ci se sont déplacées à la fois vers le haut (l'interprofession) et vers le bas (l'entreprise). Aujourd'hui tous les cas de figures existent entre les questions qui sont traitées à un seul niveau et celles qui transitent d'un étage à un autre avec parfois des incursions en dehors du chemin habituel. Faut-il rappeler par exemple que la mensualisation lancée officiellement par Georges Pompidou lors de sa campagne électorale de 1969 a fait d'abord l'objet d'un rapport de quatre sages, puis d'une déclaration d'intentions du CNPF et des confédérations syndicales avant de « redescendre » au niveau des branches, puis d'être rediscutée au sommet pour enfin faire l'objet d'une loi. La réduction du temps de travail, d'abord discutée sur le plan interprofessionnel a bénéficié du recours à Pierre Giraudet avant qu'à nouveau confédérations et CNPF en rediscutent, pour aboutir à un accord cadre qui a été prolongé par des accords de branche eux-mêmes encadrés par les ordonnances gouvernementales, la loi devant venir à terme combler les lacunes de la négociation. La formation professionnelle a connu une alternance de textes législatifs et contractuels qui ont montré combien, dans la pratique, l'imbrication entre l'intervention du législateur et celle des partenaires privés était différente des schémas juridiques établissant la primauté du premier sur les seconds.

Bref, non seulement l'initiative de la discussion peut partir de n'importe quel niveau, mais les cheminements ne s'inscrivent jamais dans le même moule. Aujourd'hui, dans leur diversité, tous les projets syndicaux et gouvernementaux ont un point commun : le renforcement de la présence syndicale et de la négociation dans l'entreprise. S'agit-il là de la simple poursuite d'un mouvement amorcé lors des événements de 1968, concrétisé par la loi du 27 décembre 1968 sur les délégués syndicaux et amplifié à l'occasion de la vague des conflits d'entreprise qui ont caractérisé la période postérieure à 1968 ? En fait, les syndicats manifestent des exigences souvent contradictoires. Ils souhaitent simultanément renforcer leur capacité d'encadrement des salariés (le débat sur le monopole ne doit pas céder à l'angélisme...) mais aussi favoriser une expression autonome des salariés. Sans le reconnaître officiellement, beaucoup de syndicalistes sont persuadés que c'est là le prix à payer pour conserver la confiance des inorganisés dont le rôle est de plus en plus fréquent lors du déroulement des conflits.

Si le centre de gravité du système de relations professionnelles se déplace sensiblement vers l'entreprise, ce qui n'est pas acquis en raison des divergences syndicales et de la centralisation des décisions économiques et sociales en période de crise, le mouvement syndical sera confronté à deux écueils :

• *La montée du corporatisme d'entreprise*

Les frontières entre la décentralisation et le corporatisme sont étroites. La théorie peut toujours réconcilier le plan et l'autogestion, mais l'expérience historique de la négociation dans les entreprises, surtout à statut, montre qu'elle ne se développe jamais dans le sens d'une plus grande solidarité. Assurément le syndicalisme de métier ou d'entreprise est plus mobilisateur que les éphémères journées du type « tous ensemble », mais n'est-ce pas au prix d'un émiettement du tissu social, aux dépens de tous ceux qui n'entrent pas dans le cadre des grandes unités de production ?

• *Le dualisme des institutions de représentation*

Pourquoi envisager une expression — voire une représentation au niveau des instances de direction — des salariés distincte de celle des syndicats, dans un pays où déjà le pluralisme est la règle ? La justification ne peut résider que dans la recherche d'une contrepartie à l'extension de l'intervention syndicale au-delà des domaines qui lui sont tacitement reconnus par la collectivité des salariés. Le monopole syndical aux États-Unis est accepté parce que l'action syndicale se limite aux seules revendications communes au groupe représenté. L'existence d'un projet de société ou simplement la participation à la gestion feraient d'emblée éclater ce monopole. En France, de même, Force ouvrière est logique quand elle refuse toute institutionnalisation de la représentation directe des salariés en même temps qu'elle limite l'action syndicale à la négociation de contrats. De deux choses l'une en effet, ou cette représentation n'est qu'un artifice pour dissimuler la présence syndicale et c'est alors détourner les intentions de leur finalité et encourager l'irresponsabilité syndicale sous couvert de démocratie directe ; ou elle correspond à une réalité dans des domaines de responsabilité distincts de ceux des syndicats et c'est alors prendre le risque de l'éclatement du système de relations professionnelles.

La décentralisation généralisée de la négociation constituerait une réelle innovation en France. Il demeure cependant peu vraisemblable que les confédérations désirent beaucoup aller dans ce sens.

Le déblocage des systèmes d'alliance

Les revirements successifs des communistes à l'égard des socialistes ne sont accompagnés d'aucune modification dans les rapports entre syndicats. Depuis la rupture de l'unité d'action CGT/CFDT en 1977-1978, la pratique qui s'est instaurée est celle d'alliances tournantes. A l'instar des majorités d'idées préconisées par Edgar Faure sur le plan parlementaire, les rapprochements varient suivant les problèmes, les branches d'activité ou le rapport des forces dans les entreprises. La négociation sur le temps de travail a bien illustré à la fois les divergences entre CGT et CFDT et l'absence de système stable de rechange. Contrairement à l'évolution des trente dernières années marquées par deux cas de figure tranchés (d'abord exclusion de la CGT du système de négociations jusqu'en 1966, date de la signature du premier pacte d'unité d'action avec la CFDT; puis unité d'action tactique entre la CGT et la CFDT) la règle est aujourd'hui celle de la concurrence, de la lutte de tous contre tous.

Malgré son instabilité, cette situation peut durer. Elle n'est susceptible d'évoluer que de deux façons :

• Par un retour de la CGT à une tactique unitaire. Malgré la diminution de ses effectifs, l'érosion de son audience dans les élections professionnelles, la multiplication des signes de malaise interne, la CGT n'a manifesté jusqu'à présent aucune volonté ni de renouer avec l'ouverture esquissée par Georges Séguy au congrès de Grenoble en 1978 ni d'accepter les compromis indispensables à toute unité d'action. Elle a choisi une ligne étroite entre l'approbation d'un gouvernement qui va «dans le bon sens» et la critique des résultats de la négociation collective (la CGT n'a pas signé l'accord sur le temps de travail). Manifestement, la CGT veut à la fois démontrer qu'elle joue le jeu mais recueillir l'appui de ceux qui ne manqueront pas d'être déçus par la gestion socialiste. Cette tactique n'implique dans l'immédiat aucun rapprochement avec les autres confédérations, au contraire. Le moment venu, la CGT sait que l'appel à l'unité a suffisamment de résonance dans la classe ouvrière, et en particulier chez les militants CFDT du secteur privé, pour que le tournant soit monnayé sans difficultés majeures.

• Par un rapprochement entre FO et la CFDT. La nomination de ministres communistes à la tête de secteurs où Force ouvrière est bien implantée (fonction publique, hôpitaux, transports) a provoqué la vive irritation de ses dirigeants. La présence d'anciens responsables de la CFDT dans des cabinets ministériels a ajouté à l'agacement. Surtout, dans le secteur privé, FO a le sentiment d'avoir perdu sa place d'organisation charnière. Ces motifs d'inquiétude n'ont cependant provoqué aucun rapprochement avec la CFDT. Les contacts demeurent informels et limités. Les responsables les plus anciens de Force ouvrière s'en tiennent à leur position traditionnelle de méfiance à l'égard d'une confédération toujours suspecte d'aventurisme et de cléricalisme.

Les rapports entre les syndicats sont donc peu susceptibles de se modifier avant une longue période.

Les organisations, pour survivre, ont besoin de se diversifier, fut-ce en rupture avec leurs origines. Les syndicats n'échappent pas à cette loi. Leur capacité à imaginer des réponses originales au double défi des contraintes économiques et des aspirations diffuses exprimées par la base est sans doute la clef de leur développement. Le risque n'est assurément pas celui d'une diminution de l'influence syndicale mais d'une disparition progressive de leur rôle moteur dans la transformation de la société moderne.

Liste des tableaux

Liste des annexes

Annexes

Annexe 1

SECTIONS SYNDICALES: BILAN EN 1970 ET 1979

	1970	1979
Entreprises assujetties	29 546	36 191
% d'entreprises ayant une ou plusieurs sections	27,5 %	60,08 %
Nombre de sections	11 775	37 145
Nombre de délégués	13 199	42 377
Répartition des sections:		
— CGT	44,5 %	38,8 %
— CFDT	25,5 %	24,1 %
— FO	10,2 %	13,5 %
— CFTC	4,2 %	5,6 %
— CGC	10,0 %	12,3 %
— CFT-CSL	1,6 %	0,8 %
— CGSI	1,1 %	0,4 %
— Autres syndicats	2,9 %	4,4 %

Annexe 2

Sources documentaires sur les effectifs syndicaux et les budgets confédéraux

• Les données concernant la CFDT sont publiées chaque année dans *Syndicalisme Hebdo* dans le cadre d'une rubrique «la CFDT à livres ouverts». Voir notamment les numéros des 27 décembre 1973, 14 mars 1974, 3 octobre 1974, 8 janvier 1976, 27 janvier 1977, 26 janvier 1978, 25 janvier 1979, 7 février 1980, 29 janvier 1981, 4 février 1982. Avant cette publication annuelle, les rapports d'activité aux congrès confédéraux contenaient souvent des informations générales sur l'évolution des effectifs.

• Les données publiées par la CGT sont à la fois plus dispersées et moins claires. Suivant les cas, les chiffres incluent ou excluent les retraités, sont exprimés en valeur absolue ou en pourcentages d'évolution, sont présentés en terme de cartes «placées» ou de cotisations effectivement payées... A l'occasion des congrès, les chiffres portent ou sur les effectifs représentés au congrès ou sur le total des adhérents. Sur les déclarations cégétistes voir notamment *le Peuple*: 11/24 avril 1982; 16/28 février 1978; 1/15 janvier 1977; 21 avril 1972; 16/30 janvier 1972. Voir aussi, pour les années où ils existent, les comptes rendus *in extenso* des débats publiés sous le titre général *la Voix du peuple*. Les informations publiées en 1982 portent sur les années 1977 à 1980 inclus.
Dans leur étude sur «les syndicats» (document n° 40/80 d'avril 1980) les *Liaisons sociales* avaient fait état de 2 121 565 adhérents en 1977 et d'une déclaration de la CGT mentionnant 2 350 000 adhérents pour 1976 (retraités compris), chiffres cohérents avec les informations publiées postérieurement par *le Peuple*. Mais, suivant ce même document, la CGT ne comptait que 1 485 000 cotisants très réguliers au moment de son 40e Congrès (Grenoble 1978), ce qui conduirait à ne lui attribuer qu'environ 1 200 000 adhérents actifs en 1980. Ces différences de totalisations liées à l'imprécision des déclarations, au retard des paiements par les syndicats (les comptes des confédérations enregistrent des rentrées de cotisation avec parfois deux ans de retard), et surtout aux variations de définition de l'adhérent ne sont pas négligeables même si elles sont d'ampleur modeste. On peut situer la «fourchette» des adhérents entre 1 200 000 et 1 600 000, la vérité se trouvant vraisemblablement à mi-chemin.

• Force ouvrière ne publie jamais aucun chiffre officiellement («Nous maintenons bien nos effectifs et même un peu mieux», déclare André Bergeron au Comité national des 20/21 décembre 1980, voir *FO Hebdo* n° 1652 p. 3). Sans doute le rapport adhérents/électeurs n'est-il pas identique pour toutes les confédérations, compte tenu de leur type d'implantation: dans le secteur public, les adhésions sont proportionnellement plus nombreuses que dans le secteur privé. Mais les déclarations officieuses des dirigeants de FO annonçant plus d'un million d'adhérents nous paraissent excessives: Jean Dorlac, trésorier de FO a, en effet, indiqué 1 083 000 cartes vendues en 1978, retraités compris, avec une moyenne de 8 timbres mensuels par carte. FO n'a fait état d'aucune diminution depuis cette date. Par ailleurs, FO cotisait aux organisations internationales pour 905 000 adhérents au cours de cette même année. Enfin, *FO Magazine* distribué à tous les adhérents était tiré à 720 000 exemplaires en 1979. Selon certains témoignages, le chiffre d'adhérents de FO oscillerait entre 500 000 et 600 000.

Les calculs effectués à partir des bilans publiés par les confédérations sont toujours sujets à caution : ne sont-ils pas établis en sachant qu'ils serviront de base à des calculs pour déterminer les effectifs ? Ils permettent cependant un éclairage suggestif sur les déclarations d'effectifs :

LES BUDGETS CONFÉDÉRAUX EN 1978

CGT

Recettes : 14 945 817 F
- cotisations ..... 76,3 %
- cons. éco. et soc.   7,9 %
- divers .... 15,8 %

Dépenses
- frais de personnel.   53,4 %
- frais généraux .. 17,0 %
- frais de dépla. ..   3,7 %
- propagande .... 16,2 %
- divers ....   9,7 %

FO

Recettes : 26 863 623 F
- cotisations ..... 85,3 %
- cons. éco. et soc.   4,0 %
- solidarité ......   8,1 %
- divers ....   2,6 %

Dépenses
- salaires .... 24,8 %
- charges sociales 14,9 %
- frais généraux .. 20,0 %
- presse ....   6,9 %
- subv. UD, fédér. 10,3 %
- propagande .... 10,9 %
- autres .... 12,2 %

CFDT

Recettes : 17 500 000 F[1]
- cotisations ..... 86,7 %
- cons. éco. et soc.   7,6 %
- divers ....   5,6 %

1. La CFDT ne publie pas ses comptes officiels. L'évaluation budgétaire a été faite à partir de ses déclarations d'adhésions et de ses taux de cotisation confédérale.

Les différences de montant entre les budgets tiennent non seulement aux effectifs d'adhérents, mais à des taux de cotisation et à des structures de budget différentes. Ainsi, le budget de FO comprend les dépenses relatives à la presse confédérale dont l'abonnement est inclus dans la cotisation. Il convient également de noter que les cotisations confédérales comportent parfois des contributions supplémentaires, par exemple au titre de la participation à des réalisations immobilières.

Annexe 3

1 - ÉVOLUTION DES EFFECTIFS DE LA CGT ET DE LA CFDT (déclarations officielles des confédérations)

CFDT

Année	Indice	Cotisants	Adhérents[1]
1939	70,06	304 000	396 700
1948	100	434 000	566 800
1961	109,60	475 000	617 800
1963	130,75	567 000	736 800
1964	126,86	550 000	714 900
1965	120,84	524 000	681 100
1967	126,23	547 000	711 600
1968	144,79	628 000	815 900
1969	153,56	660 000	865 600
1970	156,46	678 502	882 052
1971	162,83	706 119	917 955
1972	171,50	743 741	966 863
1973	179,17	776 988	1 010 084
1974	180,12	781 078	1 015 401
1975	189,21	820 490	1 066 637
1976	191,17	829 024	1 077 731
1977	191,05	828 516	1 077 071
1978	185,89	806 146	1 047 990
1979	178,90	775 835	1 008 590
1980	170,85	740 940	963 220

CGT

Année	Adhérents
1946	4 253 000 (?)
1948	4 766 000 (?)
1951	3 891 000 (?)
1953	3 311 000 (?)
1955	1 522 000
1957	1 333 000
1959	1 624 322
1961	1 722 294 (+ 210 000 retraités)
1963	1 773 210 (+ 220 000 retraités)
1965	1 939 318 (non communiqué)
1967	1 942 523 (non communiqué)
1969	2 060 202 (+ 241 341 retraités)
1970	2 061 419 (+ 271 637 retraités)
1971	2 030 808 (+ 296 829 retraités)
1972	2 027 553 (+ 290 567 retraités)
1973	2 043 173 (+ 296 475 retraités)
1974	2 046 336 (+ 296 684 retraités)
1975	2 074 072 (+ 303 479 retraités)
1976	2 043 404 (+ 306 714 retraités)
1977	2 016 841 (+ 305 213 retraités)
1978	1 890 649 (+ 302 213 retraités)
1979	1 737 989 (+ 293 174 retraités)
1980	1 634 375 (+ 284 208 retraités)

1. Retraités non compris évalués à 78 300 en 1979.
79 100 en 1980.

N.B. — Les déclarations officielles sur l'après-guerre ont été rectifiées à partir de 1955. Les pertes n'ont donc pas eu lieu entre 1953 et 1955. En fait le nombre d'adhérents réels n'a jamais été vraiment établi après la Libération.
— Selon de nombreux témoignages les pertes enregistrées depuis 1974 sont sous-estimées dans les déclarations officielles.

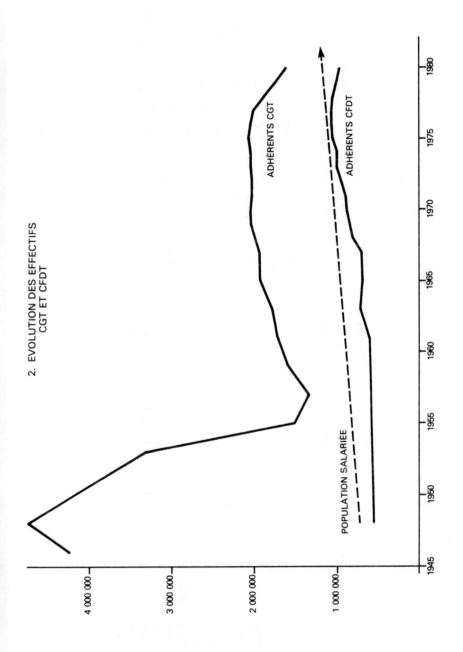

2. EVOLUTION DES EFFECTIFS
   CGT ET CFDT

ADHÉRENTS CGT

ADHÉRENTS CFDT

POPULATION SALARIÉE

4 000 000
3 000 000
2 000 000
1 000 000

1945   1950   1955   1960   1965   1970   1975   1980

159

Annexe 4

1. ÉLECTIONS AUX COMITÉS D'ENTREPRISE. BILAN D'ENSEMBLE

	1re COLLÈGE			2e + 3e COLLÈGE		
	1966-67	1978-79	Solde	1966-67	1978-79	Solde
CGT	55,7 %	42,9 %	− 12,8	19,5 %	17,6 %	− 1,9
CFDT	18,6 %	21,2 %	+ 2,6	18,8 %	18,2 %	− 0,6
FO	7,9 %	9,7 %	+ 1,8	7,8 %	10,6 %	+ 2,8
CFTC	2,2 %	2,7 %	+ 0,5	2,9 %	3,8 %	+ 0,9
CGC	—	—	—	21,6 %	23,1 %	+ 1,5
Autres syndicats	3,1 %	3,2 %	+ 0,1	5,7 %	4,7 %	− 1
Non syndiqués	12,5 %	17,8 %	+ 5,3	23,7 %	20,7 %	− 3
Total	1 332 777	2 886 426	+ 216 %	311 399	928 952	+ 298 %

2. ÉLECTIONS AUX COMITÉS D'ENTREPRISE. ÉVOLUTION ANNUELLE (% PAR RAPPORT AUX SUFFRAGES EXPRIMÉS)
Résultats du premier collège

	1980	1979	1978	1977	1976	1975	1974	1973	1972	1971	1970	1969	1968	1967	1966
CGT	43,2	40,3	44,9	43,5	47,9	44,6	49	48,1	51,4	50,5	53,9	47,5	55,6	51,5	57,8
CFDT	21,7	21,3	21,1	21	19,8	20,2	19,4	20,3	19,4	19,7	20,2	19,1	19,5	17,9	19
FO	10,7	9,8	9,6	9	9	8,6	8,1	7,7	7,6	7,9	7,4	7,4	7,8	7,6	8
CFTC	2,5	2,8	2,6	2,9	2,6	2,4	2,6	2,5	2,6	1,9	2,6	2,7	2,9	2,2	2,2
Autres syndicats	5,3	5	5,7	5,2	6,5	5,7	6,1	4,6	6,2	8	5,9	5,2	4,8	3,4	3
Non syndiqués	16,2	20,3	15,7	17,8	13,9	18,2	14,3	16,8	12,8	14,8	10	18,1	9,4	17,4	10
Total	100	100	100	100	100	100	100	100	100	100	100	100	100	100	100

3. ÉLECTIONS AUX COMITÉS D'ENTREPRISE. ÉVOLUTION ANNUELLE (% PAR RAPPORT AUX SUFFRAGES EXPRIMÉS)
Résultats des deuxième et troisième collège

	1980	1979	1978	1977	1976	1975	1974	1973	1972	1971	1970	1969	1968	1967	1966
CGT	17	15,3	19,2	16,6	20,7	17,4	20,9	16,5	18,7	16,2	16,5	13,1	16,8	15,8	21,3
CFDT	20,2	18	18,2	17,5	17,1	16,8	15,9	17,2	16,9	16	17,5	14,3	18,2	16,8	19,3
FO	11,6	9,6	11,2	8,8	10,2	8,1	8,8	7,8	7,7	6,3	7,2	5,3	7,0	7,2	8,2
CFTC	4,3	4	3,1	3,4	3,1	3,2	2,9	3,1	2,9	2,8	3,3	2,9	3,0	1,9	3,3
CGC	22,7	22,3	23,7	21,8	21,5	23,1	22,2	22,2	24,8	23,3	25,8	25,4	25,7	21,5	21,7
Autres syndicats	5,3	6,2	6,2	9,5	10,2	8,9	8,6	7,9	10	13,3	11,2	8,6	8,3	5,9	5,5
Non syndiqués	18,5	24,3	18	22,3	16,5	21,9	20,3	25,3	19	25,5	18,5	30,4	21	30,9	20,2
Total	100	100	100	100	100	100	100	100	100	100	100	100	100	100	100

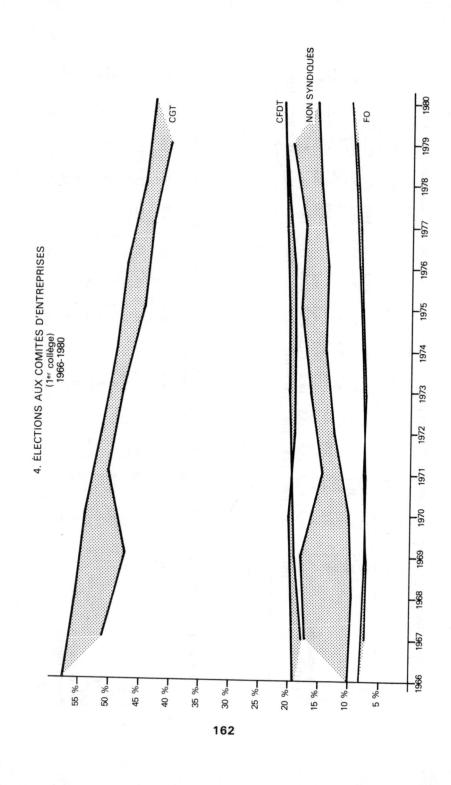

4. ÉLECTIONS AUX COMITÉS D'ENTREPRISES
(1er collège)
1966-1980

CGT

CFDT

NON SYNDIQUÉS

FO

55 % 50 % 45 % 40 % 35 % 30 % 25 % 20 % 15 % 10 % 5 %

1966 1967 1968 1969 1970 1971 1972 1973 1974 1975 1976 1977 1978 1979 1980

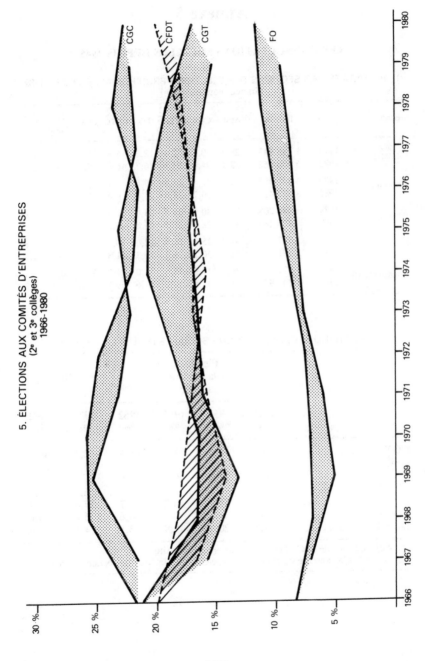

5. ÉLECTIONS AUX COMITÉS D'ENTREPRISES
(2e et 3e collèges)
1966-1980

Annexe 5

LES CONSULTATIONS SOCIALES DEPUIS 1945

1. RÉSULTATS PAR SECTIONS DES ÉLECTIONS PRUD'HOMALES 1979 ET 1982
(France métropolitaine)

Section	Année	Inscrits	Abst.	CGT	CFDT	FO	CFTC	CGC	FG SOA	Divers
Industrie	1979	5 498 943	28,4	50,1	22,4	15,6	5,8	1,7	—	4
	1982	5 652 662	32,1	44,9	23,5	16,7	6,8	5,6	—	2,3
Commerce	1979	3 321 465	44,1	42,4	23,3	19,6	7,4	1,6	—	4,2
	1982	3 722 428	48,9	36,7	23,4	20,4	9,4	5,7	—	4,0
Agriculture	1979	444 208	37,9	30,9	33,8	23,0	7,4	0,3	3,3	0,8
	1982	476 389	41,7	28,2	31,8	21,8	9,2	2,9	5,8	—
Divers	1979	1 787 274	49,2	35,3	26,9	22,0	10,8	0,8	—	3,8
	1982	2 151 996	52,9	30,2	26,8	21,3	11,8	4,8	—	4,7
Encadrement	1979	1 271 273	36,1	17,0	17,8	14,0	6,7	36,0	0,1	8,1
	1982	1 543 936	41,1	12,9	17,5	11,6	9,1	41,4	0,2	6,8

2. LES GRANDES CONSULTATIONS SOCIALES DEPUIS LA LIBÉRATION

	Élections à la sécurité sociale				Prud'hommes	
	1947 %	1950 %	1955 %	1962 %	1979 %	1982 %
CGT	59,2	43,5	43	44,3	42,4	36,8
CFDT					23,1	23,5
	26,3	21,3	20,9	20,9		
CFTC					6,9	8,4
FO [1]	—	15,2	16,2	14,7	17,4	17,7
CGC [2]	—	—	—	4,6	5,2	9,6
Divers	14,5	20	19,9	15,5	4,6	3,8

(1) Aux élections de 1947, FO n'était pas encore constituée.
(2) La CGC n'a présenté de candidats aux élections à la Sécurité sociale qu'en 1962.

Annexe 6

1. ÉLECTIONS PRUD'HOMALES DU 8 DÉCEMBRE 1982
L'ABSTENTION (TOUTES SECTIONS CONFONDUES)

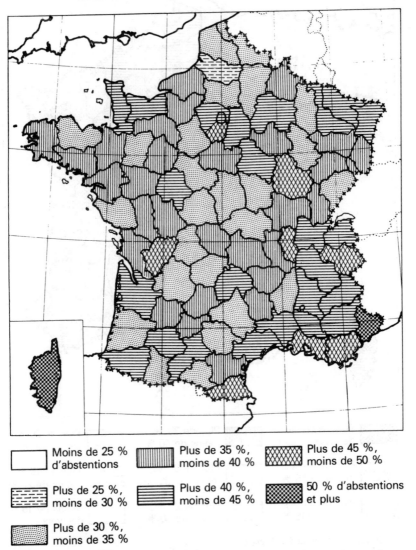

Moins de 25 % d'abstentions	Plus de 35 %, moins de 40 %	Plus de 45 %, moins de 50 %
Plus de 25 %, moins de 30 %	Plus de 40 %, moins de 45 %	50 % d'abstentions et plus
Plus de 30 %, moins de 35 %		

L'abstentionnisme est particulièrement élevé dans le quart Sud-Est de la France et dans les départements méditerranéens.

La région parisienne constitue également une zone à faible participation. Dans toutes les sections la même structure s'observe.

Les plus faibles abstentions s'observent dans le Nord, la pointe de la Bretagne, le pourtour Ouest du Massif Central et les départements limitrophes du fleuve Loire.

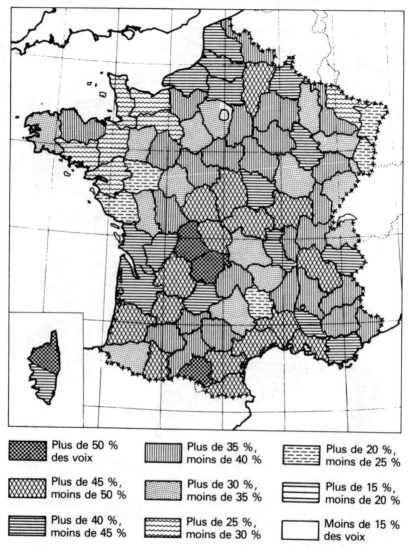

Plus de 50 % des voix	Plus de 35 %, moins de 40 %	Plus de 20 %, moins de 25 %
Plus de 45 %, moins de 50 %	Plus de 30 %, moins de 35 %	Plus de 15 %, moins de 20 %
Plus de 40 %, moins de 45 %	Plus de 25 %, moins de 30 %	Moins de 15 % des voix

L'implantation de la CGT est double :
— Elle est particulièrement forte dans les départements de tradition de gauche, même à caractère très rural, comme ceux du Centre de la France, des régions méditerranéennes et pyrénéennes.
— Organisation syndicale la plus ancienne, la CGT est implantée dans les régions de vieille industrialisation : la France du fer et charbon. En revanche elle est moins forte dans les zones d'industrialisation plus récente : départements alpins, par exemple.

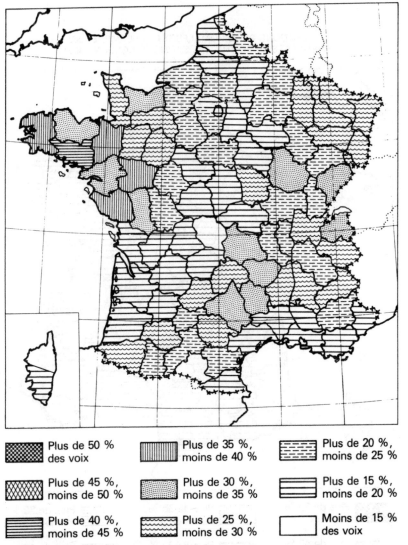

Plus de 50 % des voix	**Plus de 35 %,** moins de 40 %	**Plus de 20 %,** moins de 25 %
Plus de 45 %, moins de 50 %	**Plus de 30 %,** moins de 35 %	**Plus de 15 %,** moins de 20 %
Plus de 40 %, moins de 45 %	**Plus de 25 %,** moins de 30 %	**Moins de 15 %** des voix

La CFDT est particulièrement implantée dans les régions de tradition catholique et, politiquement, modérées: le grand ouest, les départements alsaciens, le Sud-Est (départements alpins) ainsi que la partie méridionale du Massif Central. Par ailleurs, de façon plus récente, la CFDT s'est développée dans les zones d'industrialisation moderne ainsi que dans les secteurs où le tertiaire est particulièrement important.

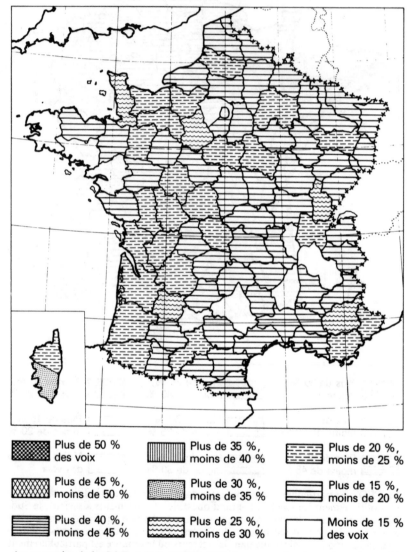

▨ Plus de 50 % des voix	▥ Plus de 35 %, moins de 40 %	▦ Plus de 20 %, moins de 25 %
▧ Plus de 45 %, moins de 50 %	▦ Plus de 30 %, moins de 35 %	▤ Plus de 15 %, moins de 20 %
▤ Plus de 40 %, moins de 45 %	〰 Plus de 25 %, moins de 30 %	☐ Moins de 15 % des voix

Au contraire de la CGT et de la CFDT, FO n'a pas une implantation géographique très marquée, sauf peut-être dans le quart Sud-Ouest de la France, dans les départements de tradition radicale, c'est-à-dire de gauche laïque et modérée.

Annexe 7

STRUCTURE SOCIOPROFESSIONNELLE DES ÉLECTORATS
ÉLECTIONS LÉGISLATIVES DES 14/21 JUIN 1981, 12/19 MARS 1978, 4/11 MARS 1973, 23/30 JUIN 1968

	Ext. G	PCF						PS						Écol.	RPR			UDF		Pop. franc. adulte	
	1978	1965	1967	1968	1973	1978	1981	1965	1967	1968	1973	1978	1981	1978	1965	1978	1981	1978	1981	1967	1978
Hommes	57	61	57	60	59	55	52	63	53	55	53	52	49	38	48	48	45	45	50	48	48
Femmes	43	39	43	40	41	45	48	37	47	45	47	48	51	62	52	52	55	55	50	52	52
Prof. libérales ⟩ Cadres sup. pat. ⟩	12	7	8	7	8	7	9	10	14	12	10	13	17	29	16	21	24	23	17	15	16
Employés - ⟩ Cadres moyens ⟩	24	17	15	18	17	18	22	19	18	16	22	24	26	34	20	19	15	20	21	15	21
Ouvriers	38	51	49	49	51	52	40	33	33	34	36	31	31	20	27	19	18	16	21	31	30
Agriculteurs	6	8	9	8	5	3	2	15	14	18	11	8	5	3	13	11	8	11	8	17	8
Inactifs	21	17	19	18	19	20	27	23	21	20	21	24	21	14	24	30	35	30	33	22	25
	100	100	100	100	100	100	100	100	100	100	100	100	100	100	100	100	100	100	100	100	100

Sources : Sondages IFOP pour 1965, 1967, 1968, 1973 et 1978 (parution dans la revue « Sondages »).
Sondages SOFRES pour 1981 (sondage post électoral de Juin 1981).
— Les données concernant 1965 ont été recueillies à l'occasion d'un sondage réalisé au cours du premier semestre 1965 (IFOP).
— Les voix PS incluent celles des radicaux de gauche.
— Compte tenu de l'évolution des formations de droite, les structures des électorats RPR et UDF ne sont indiqués que pour 1978 et 1981.
— Les professions sont celles du chef de famille.

Annexe 8

INTENTIONS DE VOTE DANS LES CATÉGORIES SOCIOPROFESSIONNELLES
Élections législatives de 1967, 1968, 1973, 1978, 1981

Il faut rappeler que les sondages sur les intentions de vote n'indiquent nullement le comportement réel des groupes considérés (voir, par exemple, les sondages préélectoraux de 1978 indiquant le succès de la gauche). En revanche, ils fournissent des indications significatives sur les *écarts* de comportement en fonction de l'âge, du sexe, de la catégorie professionnelle (profession du chef de famille et non de l'interviewé).

100 % →		Ext. G	PC	PS + Rad. G.	Div. G	Total Gauche	Centre Réform. UDF	RPR UDR V° Rép.	Div. D	Total Droite	Divers
Ensemble	1967	—	21	17	—	38	14	38	—	52	10
	1968	—	—	—	—	—	—	—	—	—	—
	1973	4	19	23	—	46	15	36	3	54	—
	1978	3	20	29	1	53	19	22	3	44	3
	1981	1	16	39	—	56	19	21	3	43	1
Hommes	1967	—	23	20	—	43	13	34	—	47	10
	1968	—	25	18	—	43	12	35	—	47	10
	1973	4	22	25	—	51	16	30	3	49	—
	1978	3	22	31	—	56	17	21	3	41	2
	1981	2	17	39	—	58	20	20	1	41	1
Femmes	1967	—	19	14	—	33	15	41	—	56	11
	1968	—	18	16	—	34	11	46	—	57	9
	1973	4	16	21	—	41	14	43	2	59	—
	1978	2	18	28	1	49	21	22	4	47	4
	1981	1	15	38	—	54	18	22	4	44	2

100 % →	Ext. G	PC	PS + Rad. G.	Div. G	Total Gauche	Centre Réform. UDF	RPR UDR V° Rép.	Div. D	Total Droite	Divers
Ouvriers										
1967	—	31	18	—	49	11	30	—	41	10
1968	—	33	18	—	51	8	31	—	39	10
1973	4	33	27	—	64	12	22	2	36	—
1978	3	36	31	1	71	10	14	3	27	2
1981	1	24	44	—	69	15	14	1	30	1
Employés - Cadres moyens										
1967	—	18	22	—	40	15	35	—	50	10
1968	—	21	15	—	36	12	40	—	52	12
1973	9	17	29	—	55	19	23	3	45	—
1978	3	18	33	1	55	17	19	4	40	5
1981	2	16	45	—	63	18	14	3	35	2

Sources: sondages IFOP (voir notamment *Sondages* 1967-3, 1968-2, 1973-1, 1978-1).

En 1967/68, la rubrique divers comprend tous les petits partis y compris le PSU. En 1973, la rubrique «divers» n'est plus retenue, l'extrême gauche est présentée de façon distincte. En 1981, le PSU est classé dans «extrême gauche» et les écologistes ont été classés dans les divers en 1978 et 1981.

Annexe 9

COMPORTEMENTS POLITIQUES DES SYNDIQUÉS

100 %	Ext. G	PCF	PS + Rad. G	Div. G	Total Gauche	Écologistes	CDS Réform. UDF	RPR/ UDR	Div. D	Total Droite
CGT										
1969 (ouvriers seulement)	—	57	24	9	90	—	5	4	1	10
1973	1	58	29	—	88	—	3	6	3	12
1974	—	—	—	—	90	—	—	—	—	10
1977	4	51	37	—	91	2	—	6	—	6
1981	3	57	22	1,5	83,5	2	7	6,5	1	14,5
CFDT										
1969 (ouvriers seulement)	—	13	38	2	53	—	34	8	5	47
1973	11	21	30	—	62	—	6	27	5	38
1974	—	—	—	—	73	—	—	—	—	27
1977	7	7	62	—	76	8	3	13	—	16
1981	16	14	50	2	82	7	6	4	1	11
FO										
1969 (ouvriers seulement)	—	22	36	5	63	—	18	14	5	37
1973	3	20	43	—	66	—	5	23	6	34
1974	—	—	—	—	52	—	—	—	—	48
1981	2	12	33	7	54	2	23	19	2	44
Non syndiqués										
1969 (ouvriers seulement)	—	19	22	6	47	—	19	27	6	53
1973	4	23	20	—	47	—	14	36	3	53
1974	—	—	—	—	53	—	—	—	—	47

100% →		Ext. G	PCF	PS + Rad. G	Div. G	Total Gauche	Écologistes	CDS Réform. UDF	RPR/ UDR	Div. D	Total Droite
Total ouvriers	1969	—	28	25	5	58	—	15	20	6	41
Total ouvriers	1973	4	37	27	—	68	—	8	21	3	32
Total employés	1973	4	17	23	—	44	—	13	38	5	56
Total salariés	1973	4	30	24	—	58	—	11	28	3	42
Total électeurs	1973	4	19	23	—	46	—	15	36	3	54
Total ouvriers	1974	—	—	—	—	53	—	—	—	—	27
Total employés	1974	—	—	—	—	61	—	—	—	—	47
Total salariés	1974	—	—	—	—	49	—	—	—	—	39
Total électeurs	1974	—	—	—	—	—	—	—	—	—	51
Total ouvriers	1978	3	36	31	1	71	2	10	14	3	27
Total employés	1978	3	18	33	1	55	5	17	19	4	40
Total électeurs	1978	3	20	29	1	53	3	19	22	3	44

Sources :
— 1969 : *l'Ouvrier français en 1970*, Paris, A. Colin, FNSP 1971. (Question « Quel est le parti dont vous vous sentez habituellement le plus proche » ?)
— 1973 : *le Nouvel Observateur*, 28 mai 1973. Enquête SOFRES (Pas d'indication sur la question posée). La rubrique « Total électeurs » est établie d'après des données IFOP (Sondage 1973-1).
— 1974 : « Comment ont voté les Français ? », sondage SOFRES des 20/21 mai 1974 auprès de 2 000 électeurs. Enquête sur l'élection présidentielle (gauche : F. Mitterrand - majorité : V. Giscard d'Estaing)
— 1977 : Enquête Louis Harris-France de septembre 1977 auprès de 3 037 personnes publiée par *le Matin* du 27/28 octobre 1977. Les intentions de vote de référence (Total « ouvriers », « employés », « électeurs ») sont celles qui ont été établies par l'IFOP en 1978, à l'occasion des législatives (question sur les intentions de vote)» Sondages 1978-1.
— 1981 : Enquête SOFRES «les Français, les syndicats et l'élection présidentielle» auprès de 3 000 personnes du 20 mars au 7 avril 1981.

173

Bibliographie

I. Ouvrages généraux

G. ADAM,
Histoire des grèves, Paris, Bordas, « Voir l'histoire », 1981.

« La négociation collective en France : rapport au ministère du Travail »,
Droit social, 11 novembre 1978, p. 385-391.

G. ADAM, J.-D. REYNAUD,
Conflits du travail et changement social, Paris, PUF, « Sociologie », 1978.

A. ANDRIEUX, J. LIGNON,
le Militant syndicaliste d'aujourd'hui, avec la collaboration de François
Mille ; préface de Pierre Naville ; rapport d'une enquête menée avec le concours du CNRS, Paris, Denoël-Gonthier, « Grand Format médiations »,
1973.

A. BERGOUNIOUX,
Force ouvrière, Paris, Seuil, « Politique », 1975.

R. BOUDON,
la Logique du social : Paris, Hachette, « L'Esprit critique », 1979.

Y. BOURDET,
Qu'est-ce qui fait courir les militants ?: analyse sociologique des motiva-
tions et des comportements, Paris, Stock, « Penser », 1976.

G. CAIRE,
les Syndicats ouvriers, Paris, PUF, « Thémis. Sciences politiques », 1971.

P. DUBOIS,
les Ouvriers divisés, Paris, Presses de la FNSP, 1981.

ENTRETIENS DE DIJON. 1. 1962.
les Nouveaux comportements politiques de la classe ouvrière, sous la direction de Léo Hamon, Paris : PUF, 1962. 254 p. (Publications du Centre
d'études des relations politiques, Université de Dijon).

G. FRIEDMANN, P. NAVILLE,
Traité de sociologie du travail, avec le concours de J.-R. Tréanton et de
G. Balandier, Paris, A. Colin, Vol. 1, 3ᵉ éd., 1970, Vol. 2, 2ᵉ éd., 1964.

P. GAVI,
les Ouvriers : du tiercé à la révolution, Paris, Mercure de France, « En
direct », 1970.

G. GRUNBERG, R. MOURIAUX,
l'Univers politique et syndical des cadres, Paris, Presses de la FNSP, 1979.

J.-C. JAVILLIER,
Droit du travail, 2ᵉ éd., Paris, LGDJ, 1981, avec le complément «*les Réformes du droit du travail depuis le 10 mai 1981,* LGDJ, 1982.

E. MAIRE, J. JULLIARD,
la CFDT d'aujourd'hui, Paris, Seuil, 1975.

D. MOTHE,
le Métier de militant, Paris, Seuil, «Politique», 1973.

R. MOURIAUX,
la CGT, Paris, Seuil, «Politique», 1982.

M. OLSON,
Logique de l'action collective, préface de Raymond Boudon; trad. de l'américain par Mario Levi, Paris, PUF, «Sociologies», 1978.

L'Ouvrier français en 1970,
enquête nationale auprès de 1 116 ouvriers d'industrie, par Gérard Adam, Frédéric Bon, Jacques Capdevielle, René Mouriaux, Paris, A. Colin, «Travaux et recherches de science politique», 1970.

J.-D. REYNAUD,
les Syndicats en France, Nouv. éd., Paris, Seuil, «Politique», 1975.

M. SCHIFRES,
la CFDT des militants, Paris, Stock, «Les Français qui changent la France», 1972.

F. SELLIER,
les Salariés en France, Paris, PUF, «Que sais-je», 1979.

Les Syndicats européens et la crise,
Ouvrage collectif, Presses Universitaires de Grenoble, 1981.

A. TOURAINE,
la Conscience ouvrière, Paris, Seuil, 1966.

II. Publications syndicales

CGT
le Peuple, organe officiel de la CGT, Paris. Bimensuel.
la Vie ouvrière, Paris. Hebdomadaire.

CFDT
Syndicalisme - CFDT Hebdo, Paris. Hebdomadaire.
CFDT Ajourd'hui, revue d'action et de réflexion, Paris. Bimestriel.

CFTC
Syndicalisme CFTC, Paris. Mensuel.

CGC
Cadres et maîtrise, revue officielle de la CGC, Paris. Bimensuel.

CGT-FO
FO Hebdo, organe officiel de la CGT-FO, Paris. Hebdomadaire.

Index

Dépôt légal : mars 1983
Imprimerie Dumas, 42100 Saint-Étienne
N° d'imprimeur : 26104
Achevé d'imprimer en février 1983

Guy ROUSTANG

le travail autrement

Travail et mode de vie

Et si l'on remettait "l'intendance" à sa place pour vivre et travailler autrement ?... Le travail, récemment encore sacralisé, semble aujourd'hui changer de nature. La crise et la montée du chômage font en effet douter de son rôle de panacée tandis que les jeunes générations tendent à contester ses modalités. Temps et qualité du travail, conditions de vie, finalités de l'emploi, tout est actuellement objet de réflexions concrètes.

Compte tenu des tendances actuelles, quelles sont les évolutions probables ? Quels seront les changements qui vont affecter la vie au travail et quelles incidences auront-ils tant sur l'économie que sur les conditions d'existence ?

C'est à l'ensemble des questions sur les relations entre le travail et le mode de vie que Guy Roustang, spécialiste en sociologie et économie du travail, apporte une réponse documentée. Son livre, qu'il a voulu clair et complet, se présente comme une synthèse des études les plus récentes sur le sujet. Les spécialistes en loueront la précision ; les syndicalistes, les responsables politiques, économiques et plus largement tous ceux qui se préoccupent de l'avenir de notre société, y trouveront un ensemble de données nouvelles et une analyse passionnante de la question.

L'œil économique   *Série travail*

14 × 22, 260 p., broché